רגעים בגולן רינה נגילה

רגעים בגולן רינה נגילה
Rina Nagila **Moments in the Golan**

עריכה: רמונה בר לב
עיצוב: סטודיו עוז studi[o]z
הספר יצא לאור ע"י קיבוץ אורטל

© כל הזכויות שמורות לקיבוץ אורטל 2006
© כל הזכויות לצילומים שמורות לרינה נגילה 2006
Copyright © 2006 by Kibbutz Ortal, Golan Heights

אין להעתיק ו/או להפיץ ספר זה או קטעים ממנו,
בשום צורה ובשום אמצעי אלקטרוני, אופטי, או מכני
(לרבות צילום, הקלטה, אינטרנט ודואר אלקטרוני)
ללא אישור בכתב מהמוציא לאור.

לוחות, הדפסה וכריכה: מפעלי דפוס כתר
נדפס בישראל תשס"ו Printed in Israel 2006
מספר קטלוגי: 9789655552362
מסת"ב: ISBN 965-555-236-5

מהדורה ראשונה: יולי 2006
מהדורה שנייה מעודכנת: יולי 2007

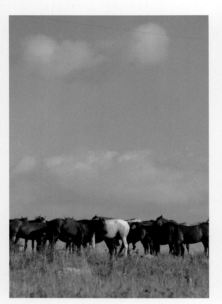
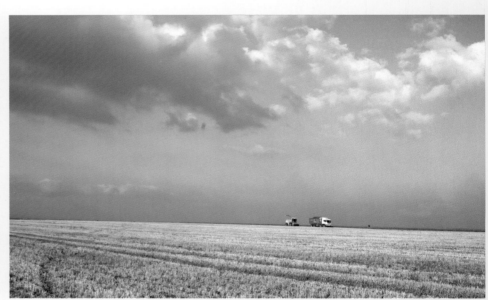

רגעים בגולן רינה נגילה

תודה

למשפחה שלי – אין כמוכם בעולם

לחבריי בקיבוץ אורטל – הבית שלי

לאלי מלכה שראה ראשון ואהב

לרמונה בר לב על החיבוק המקצועי

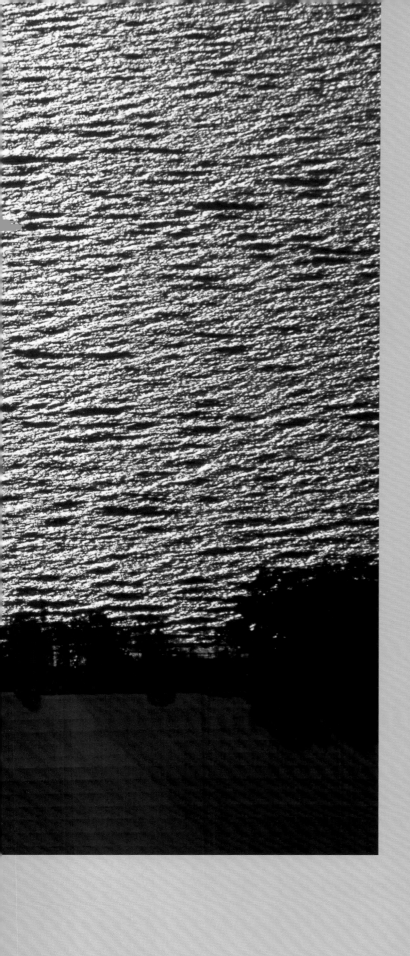

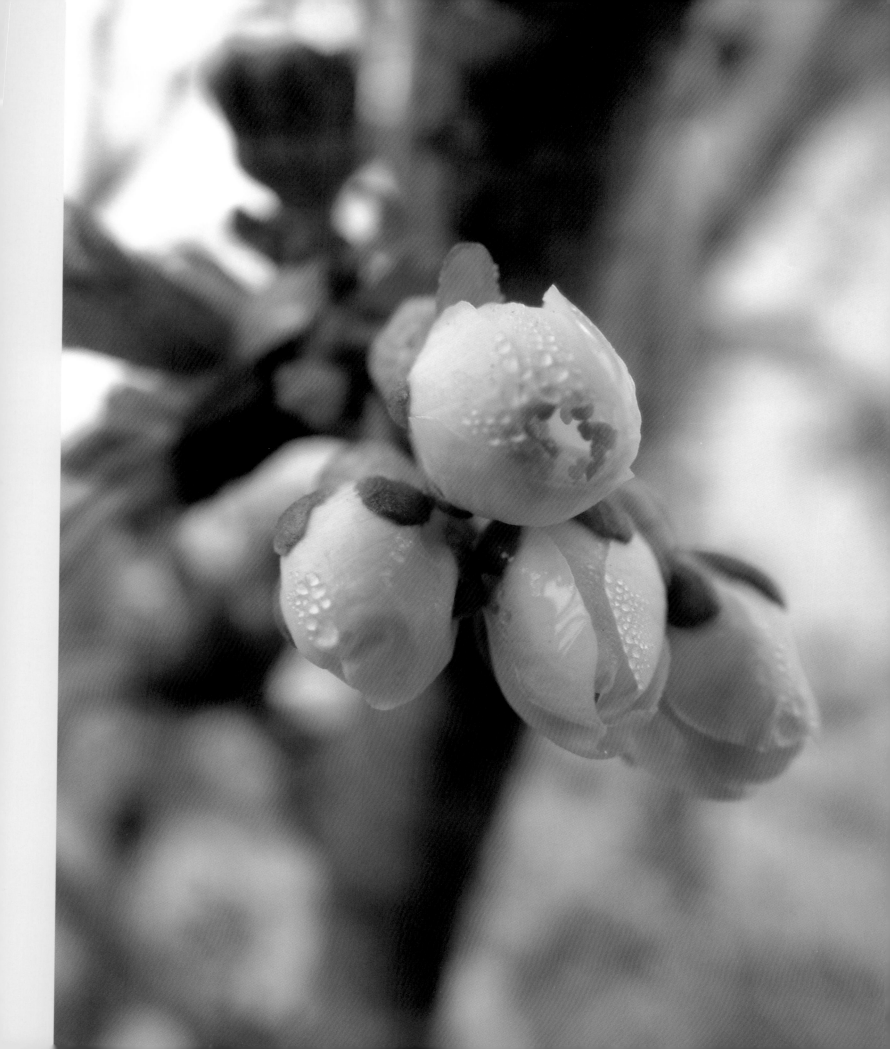

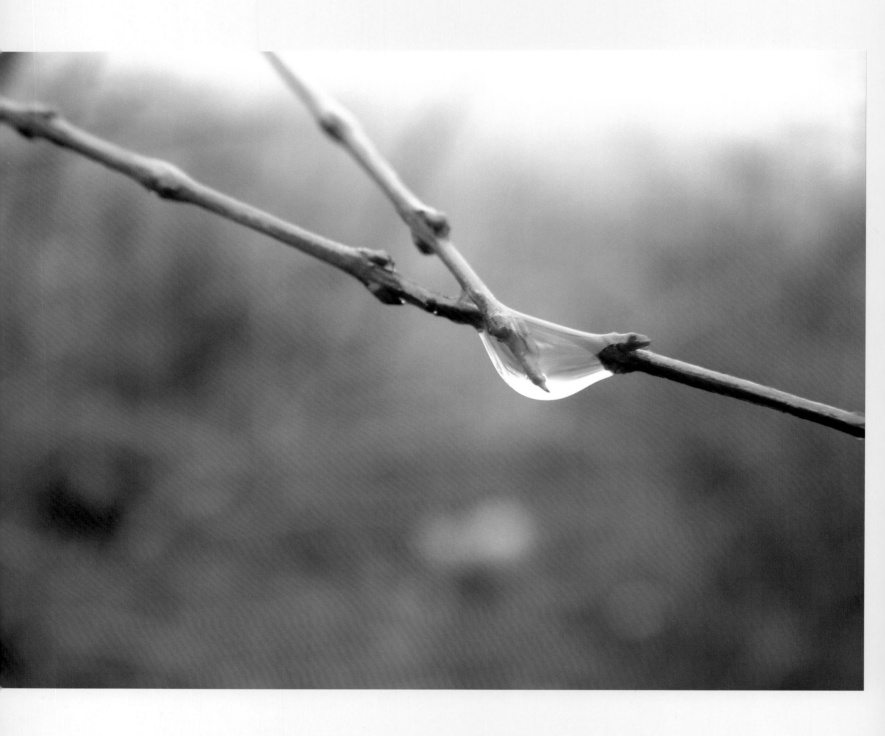

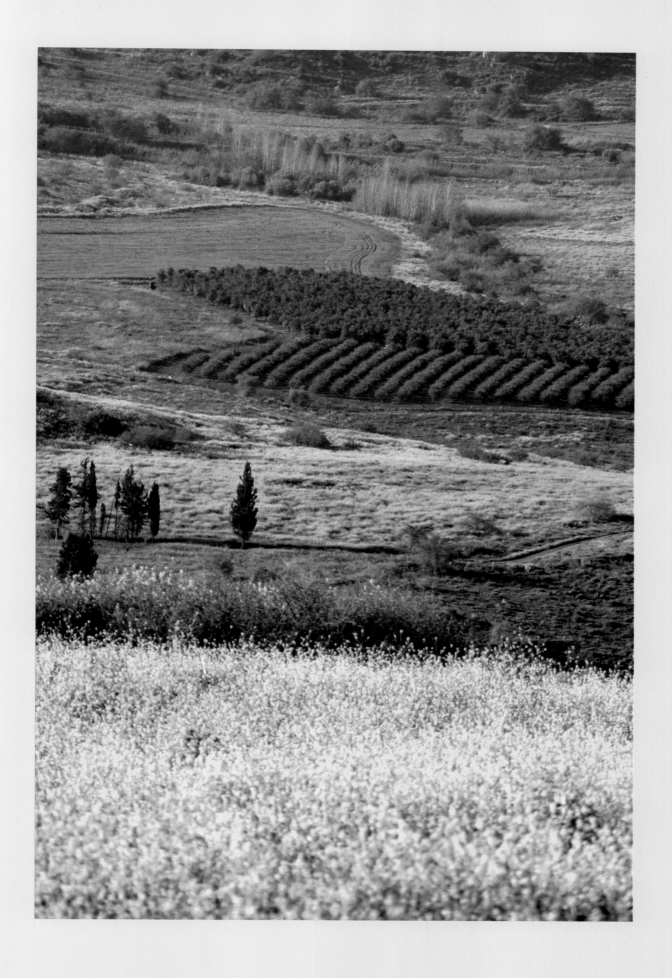

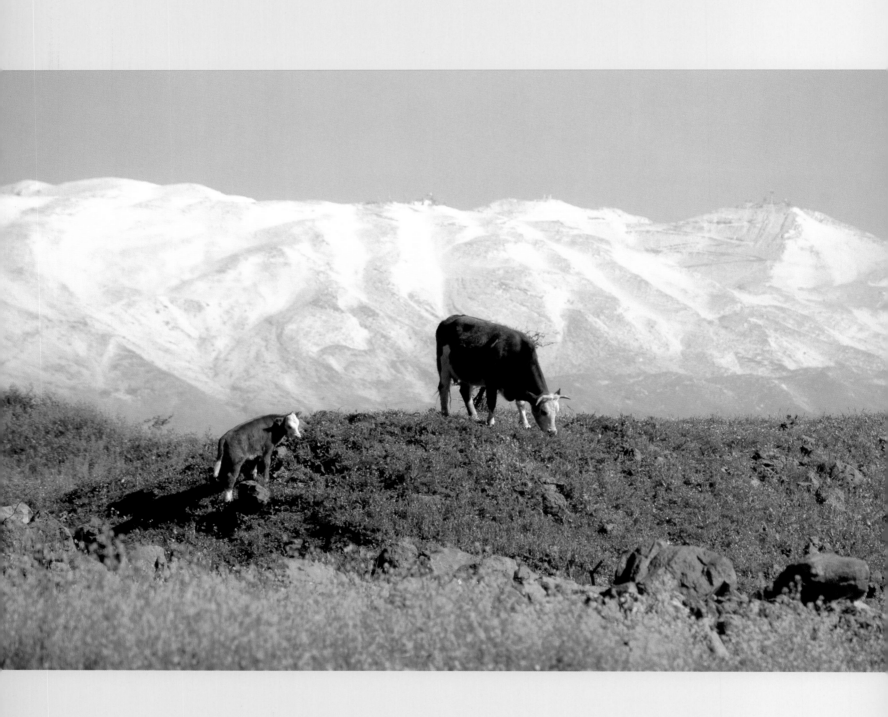

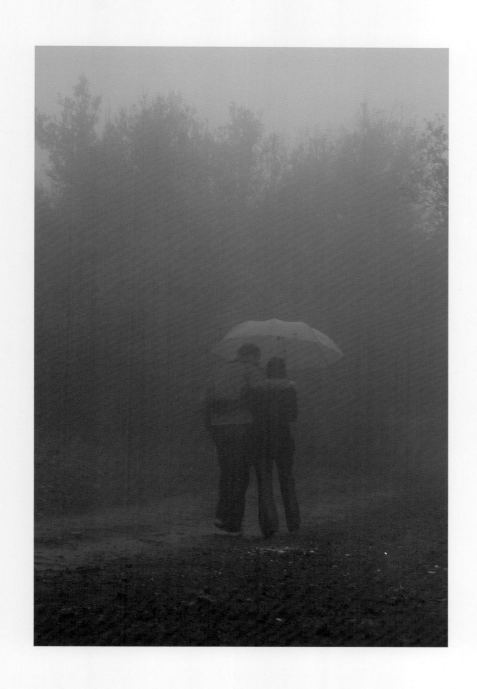

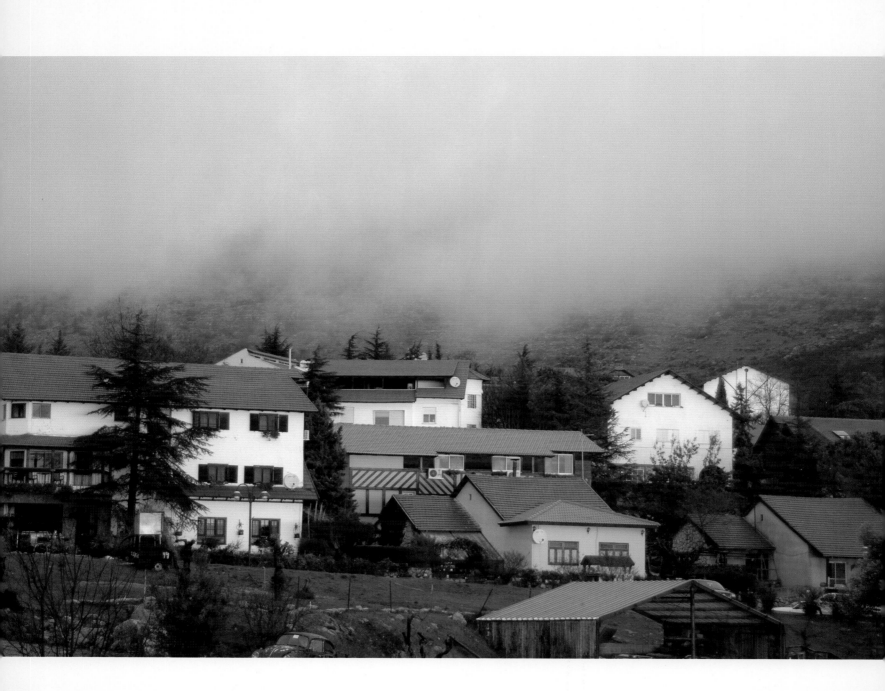

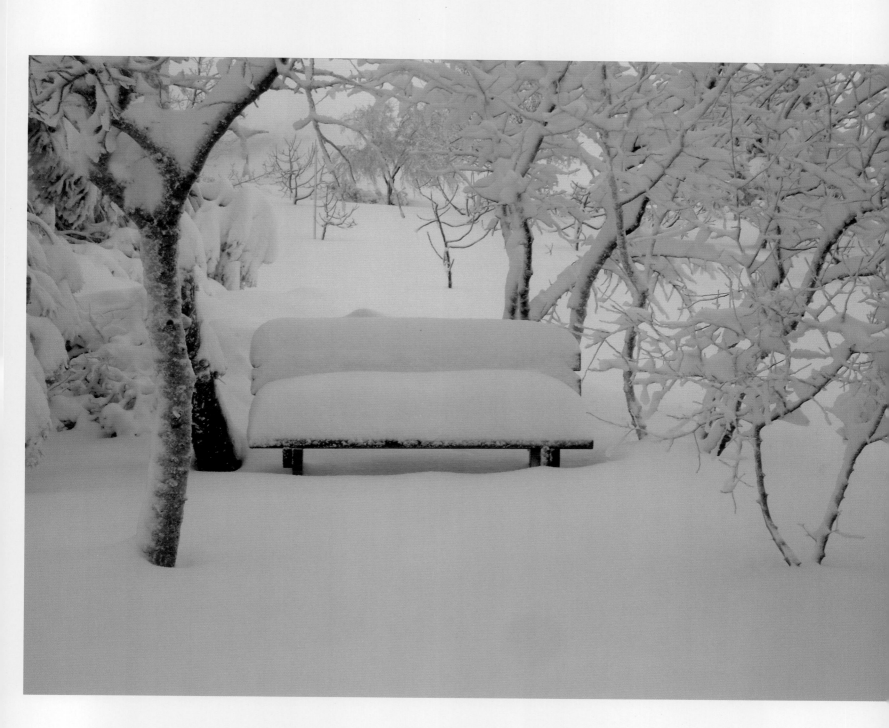

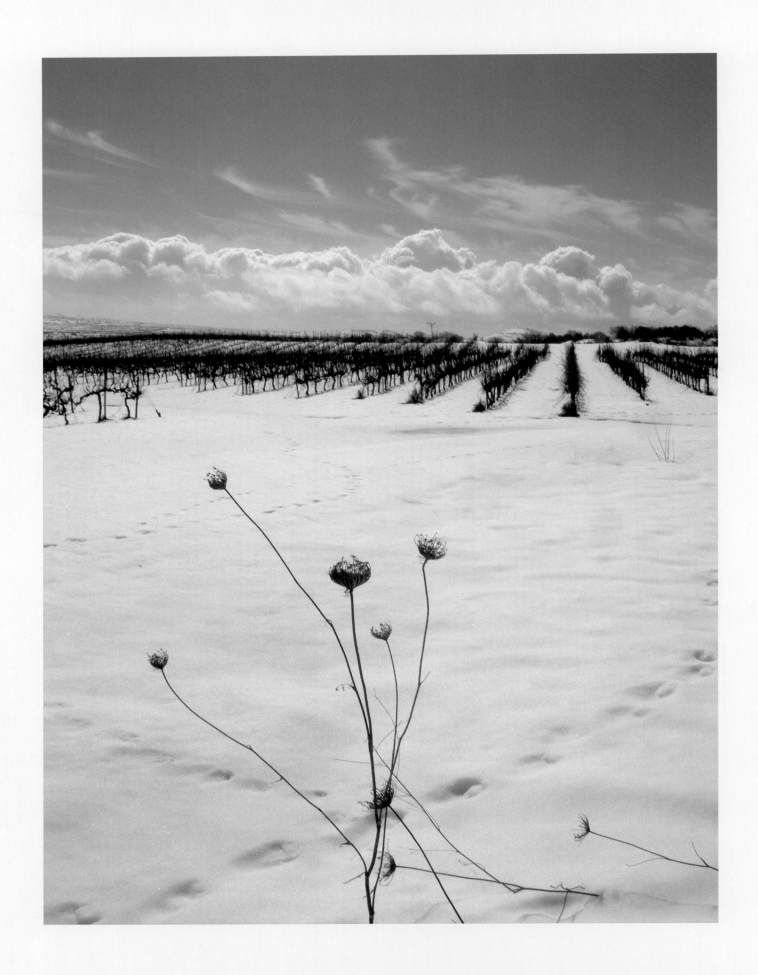

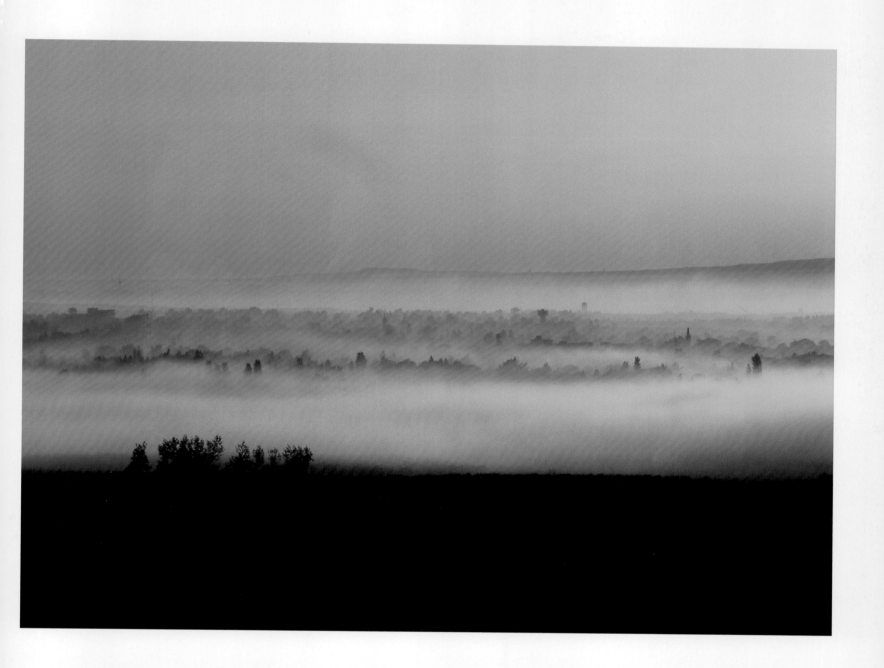

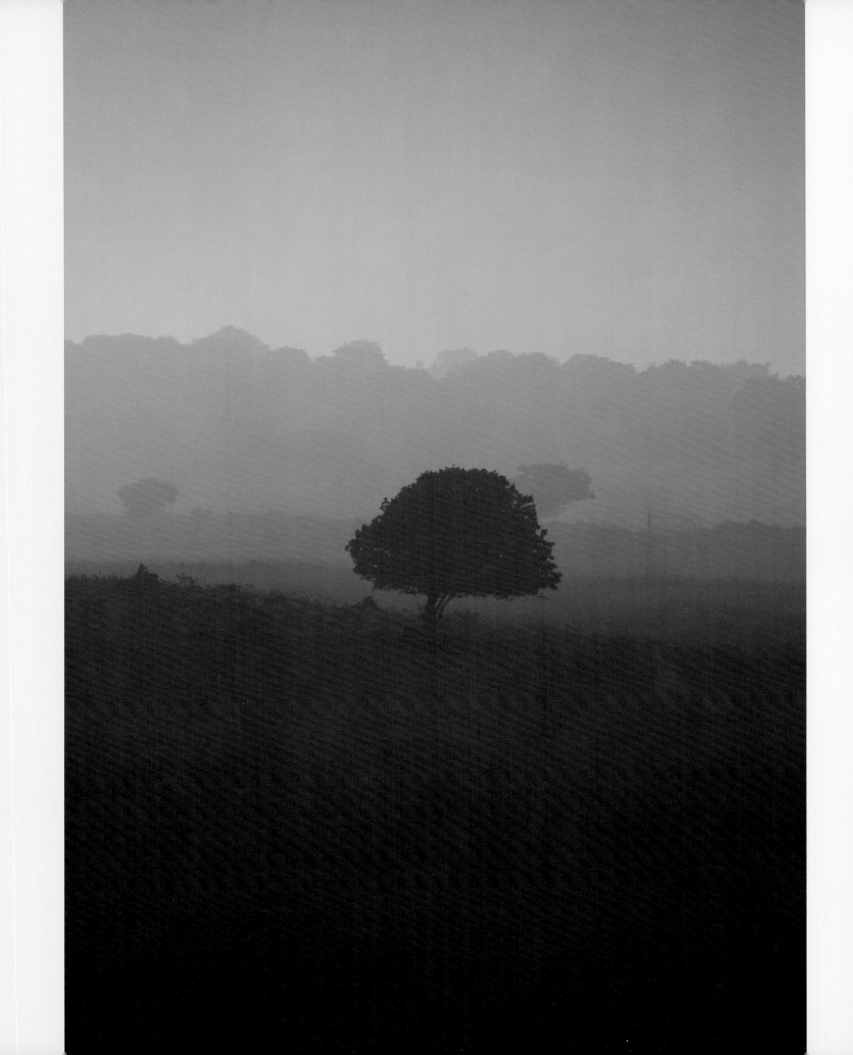

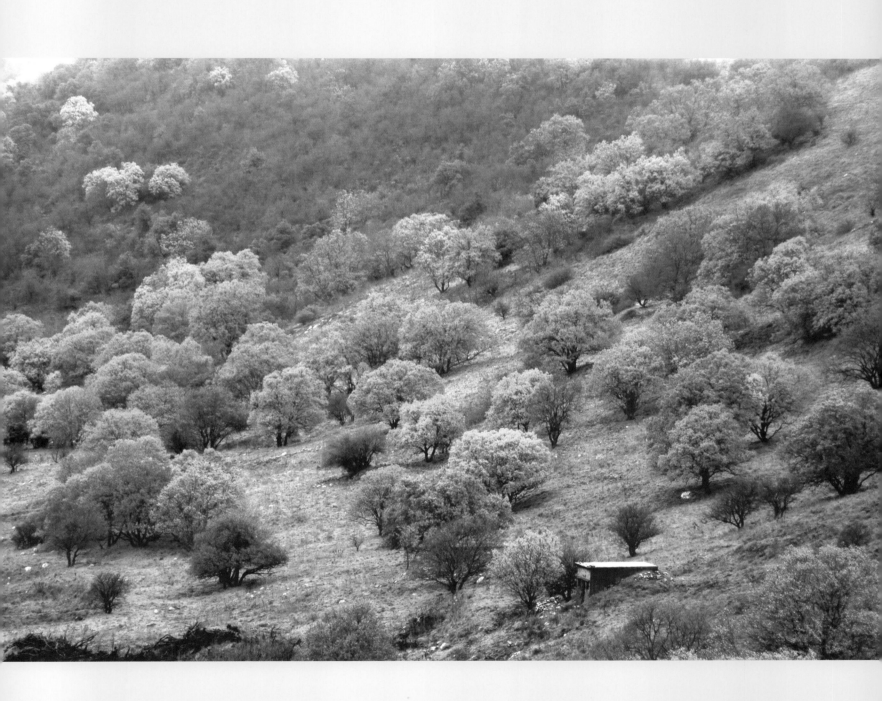

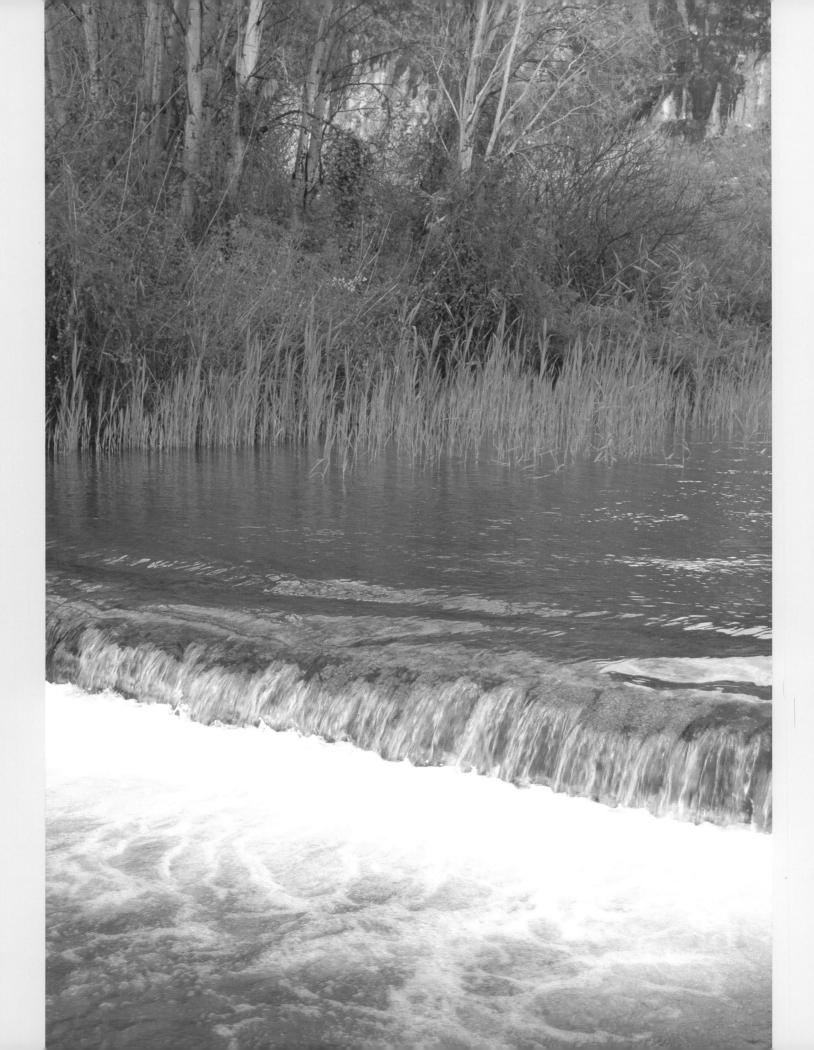

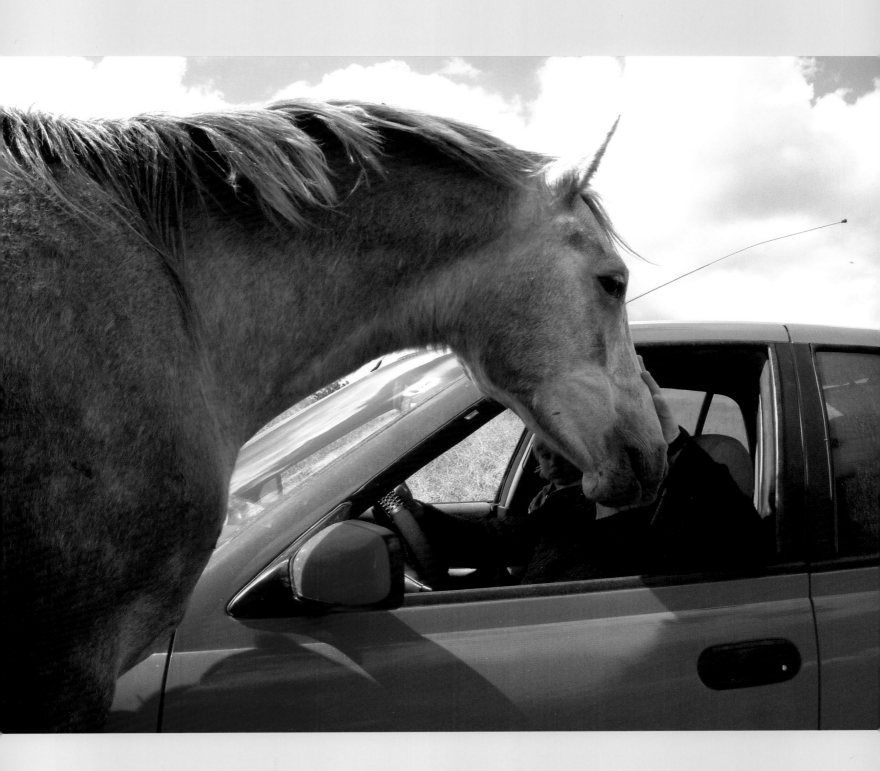

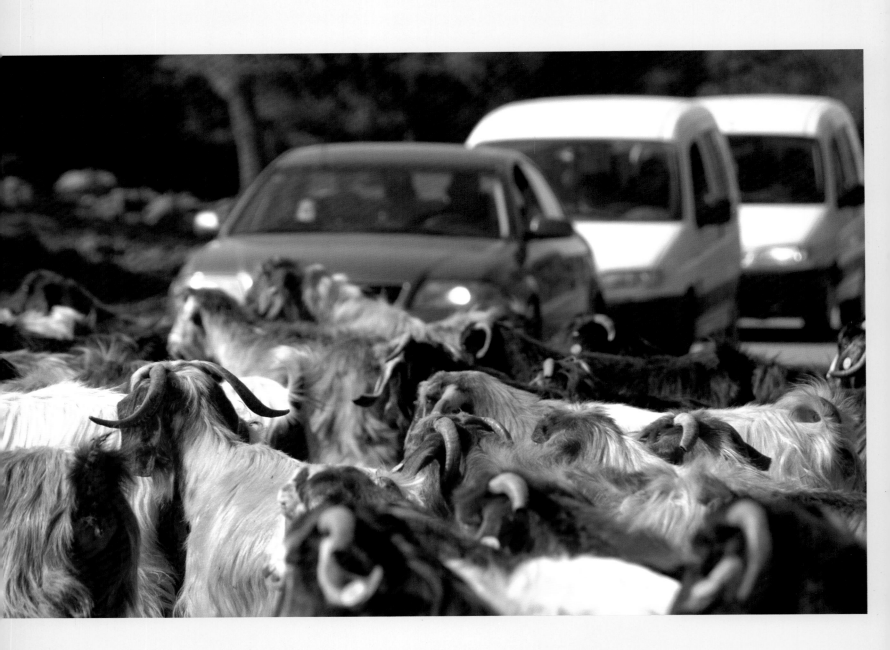

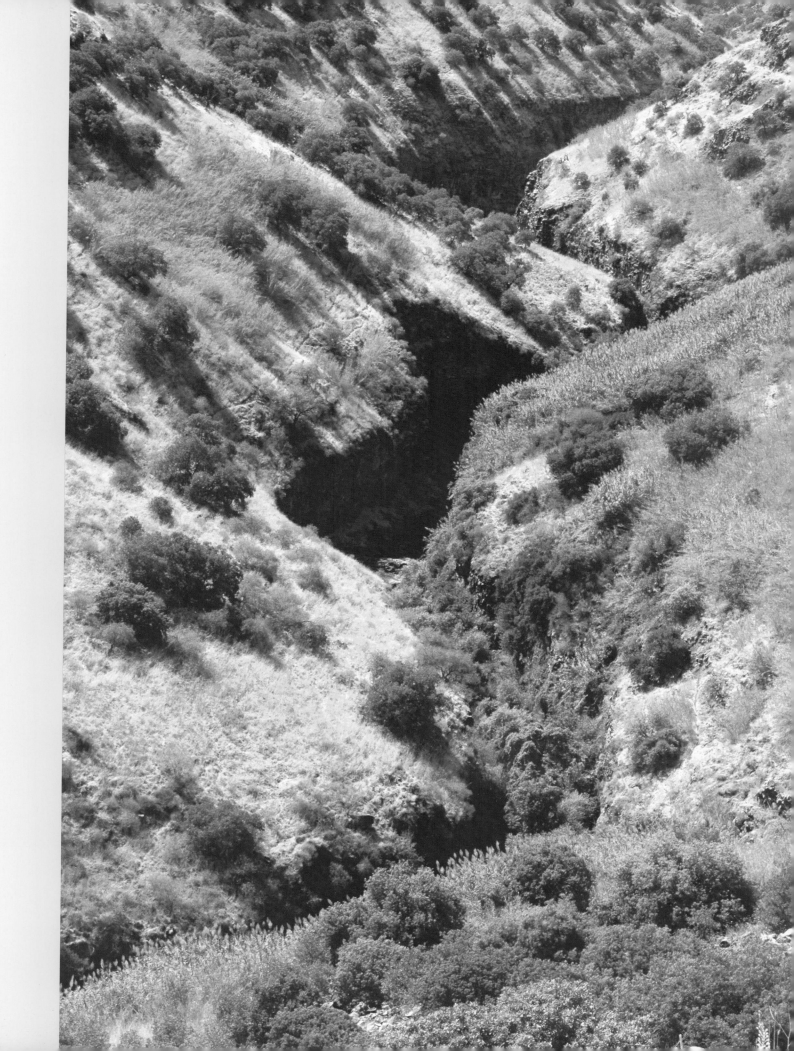

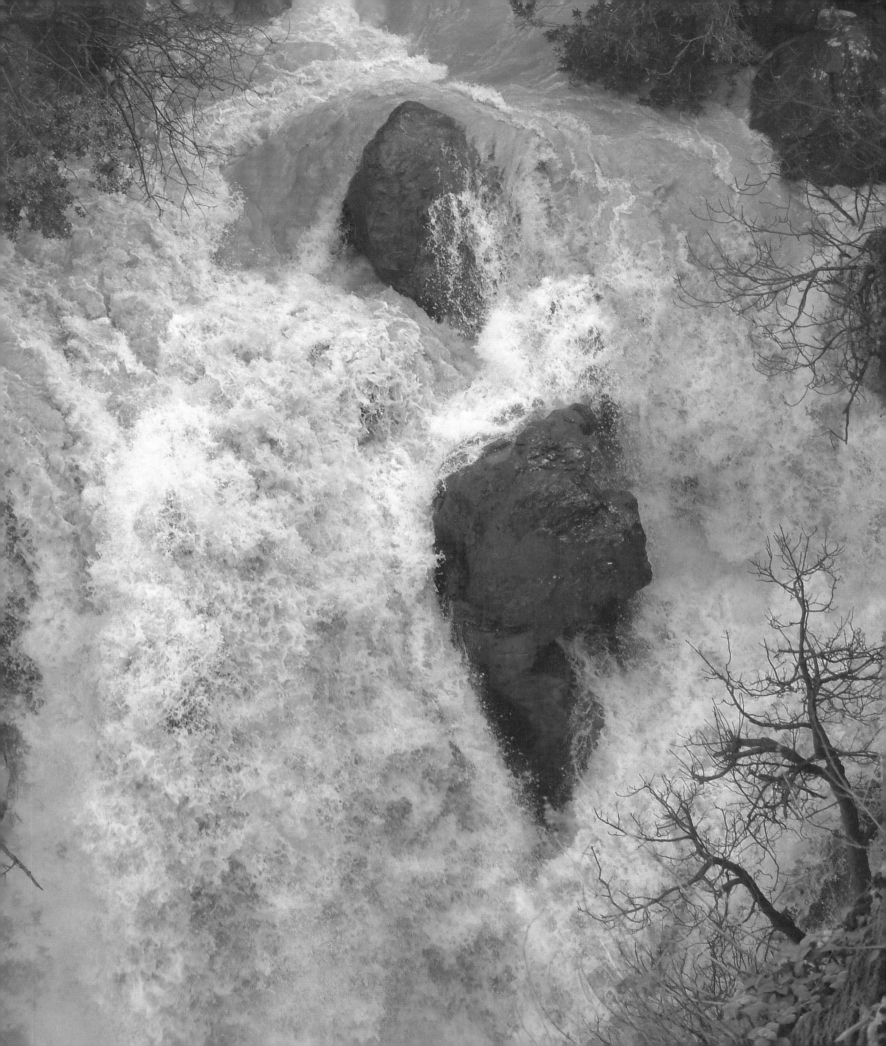

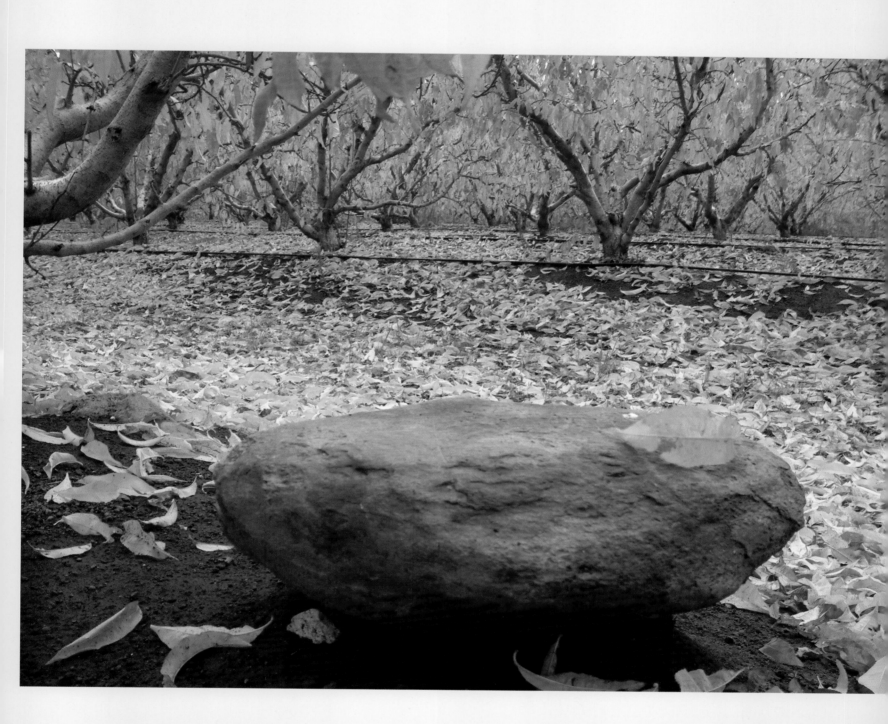

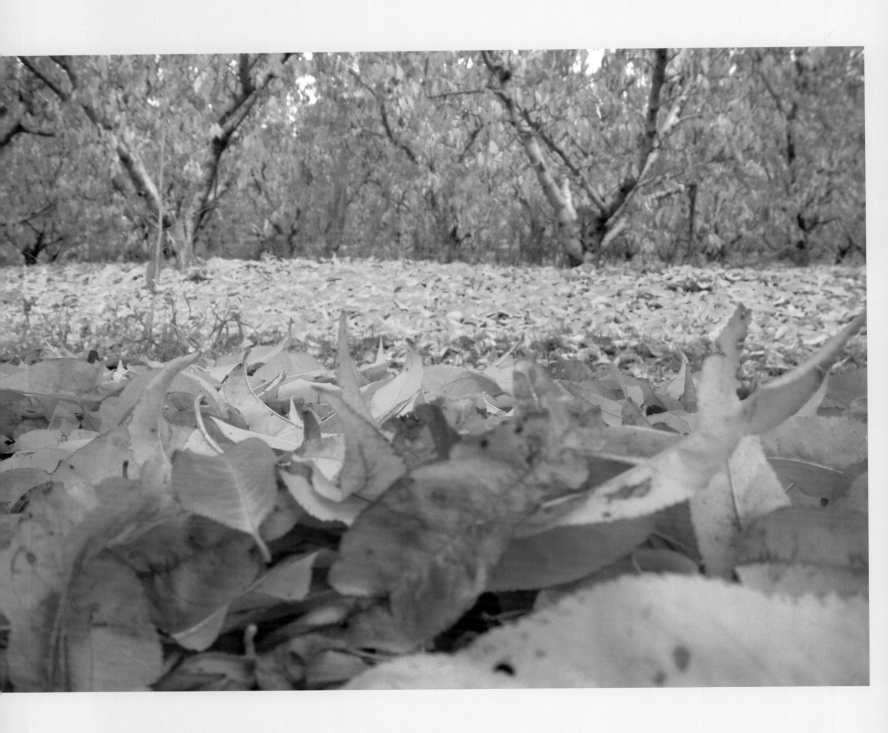

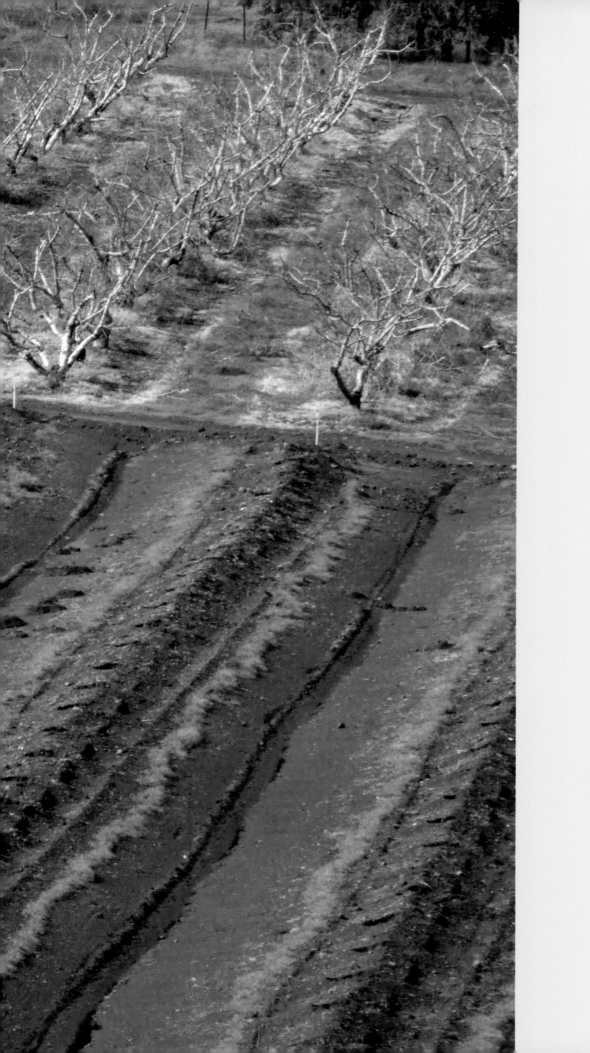

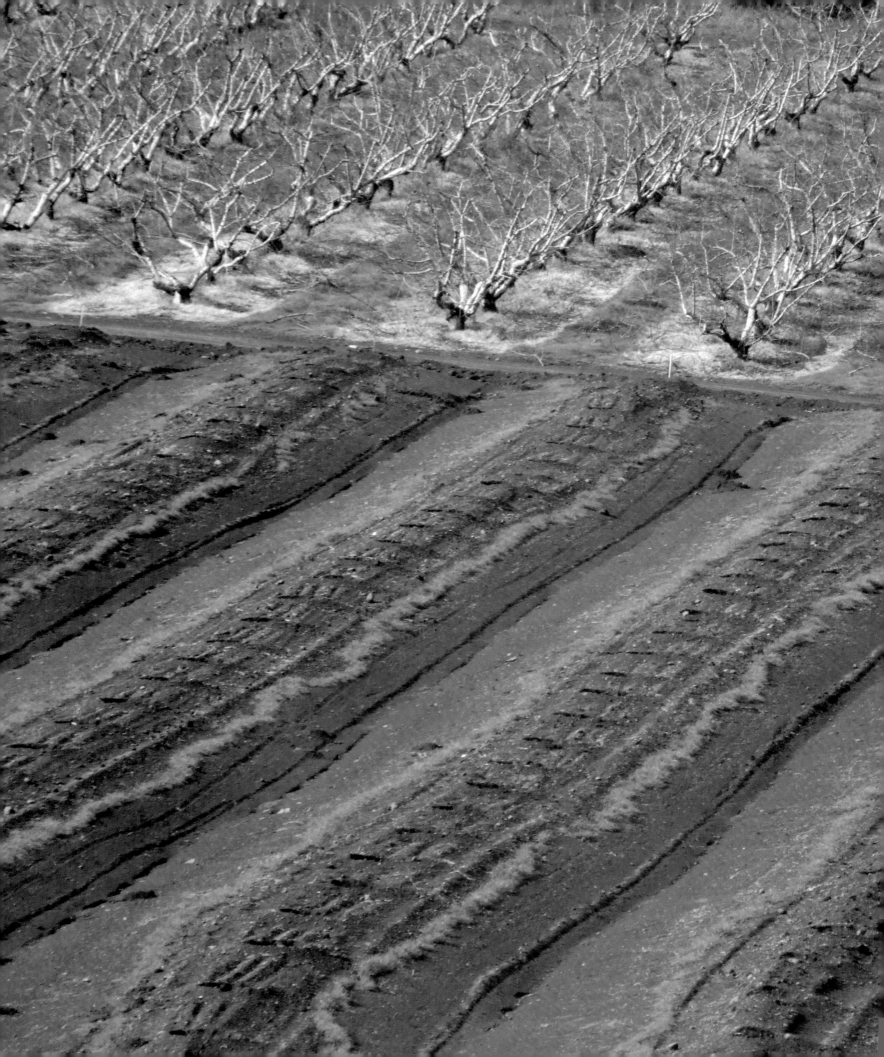

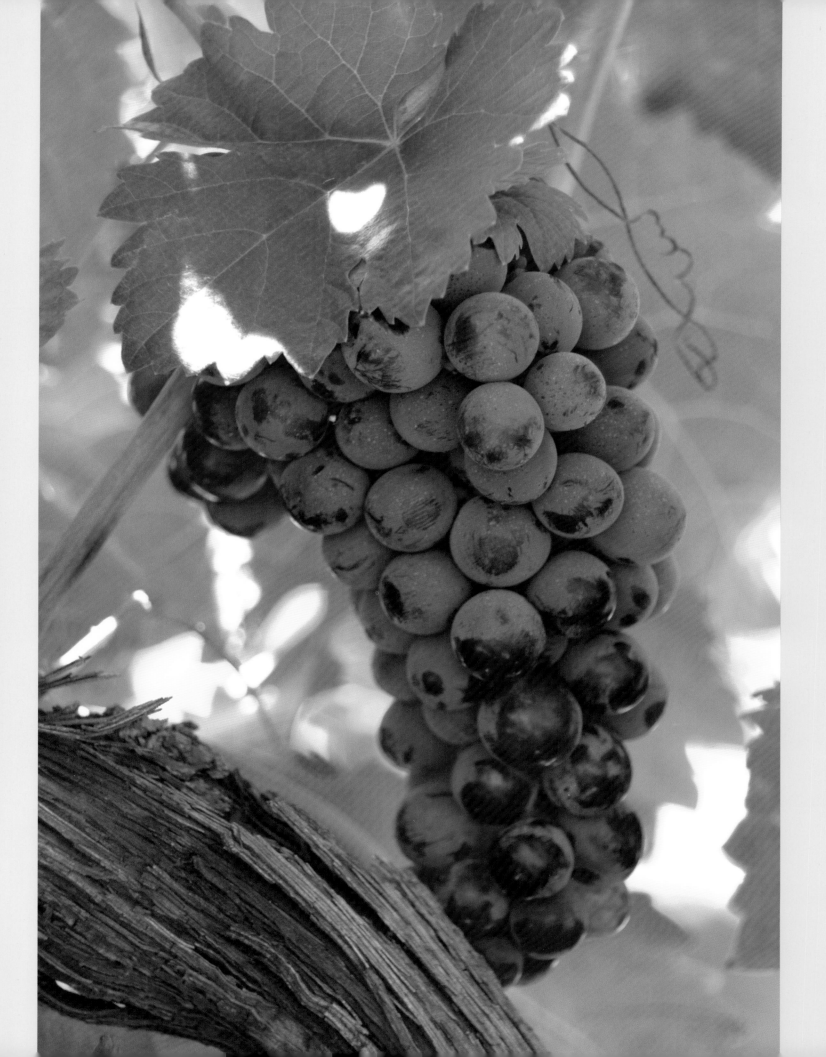

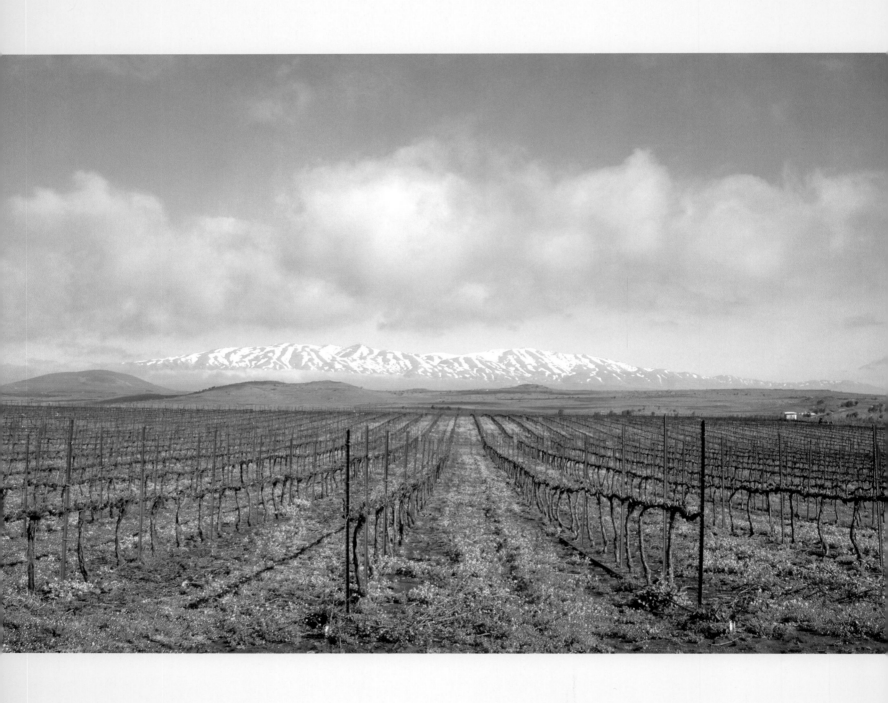

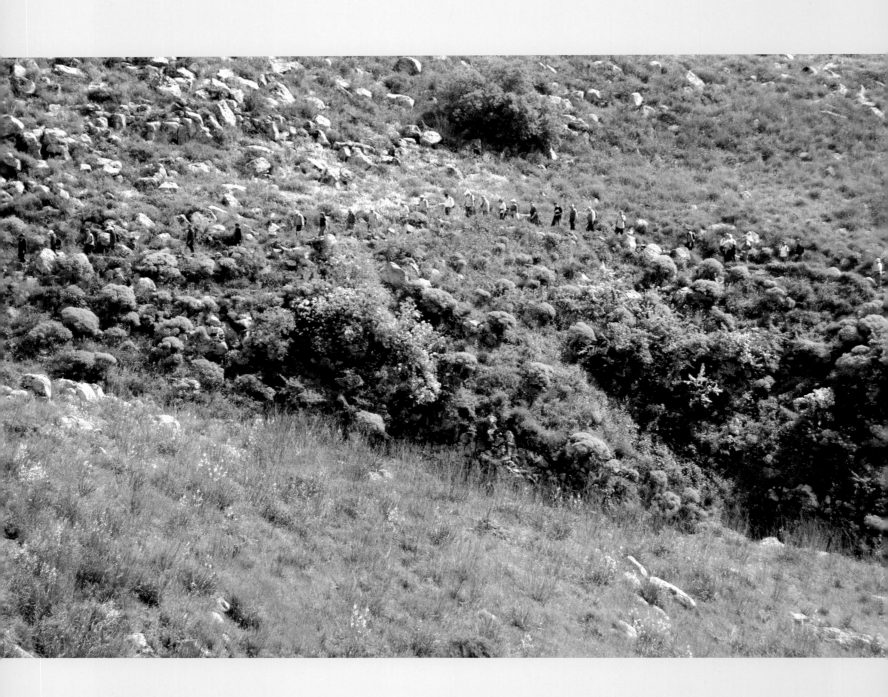

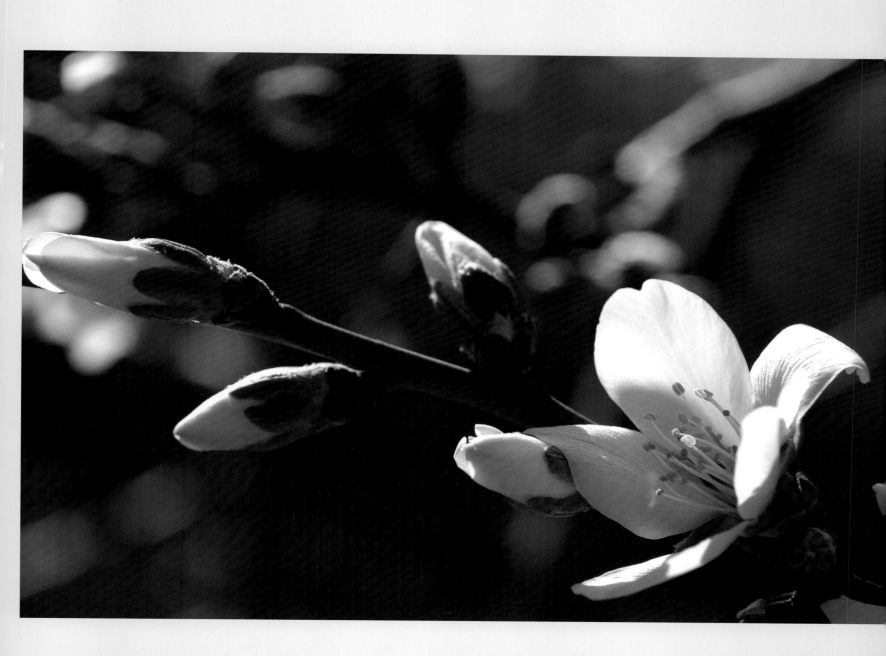

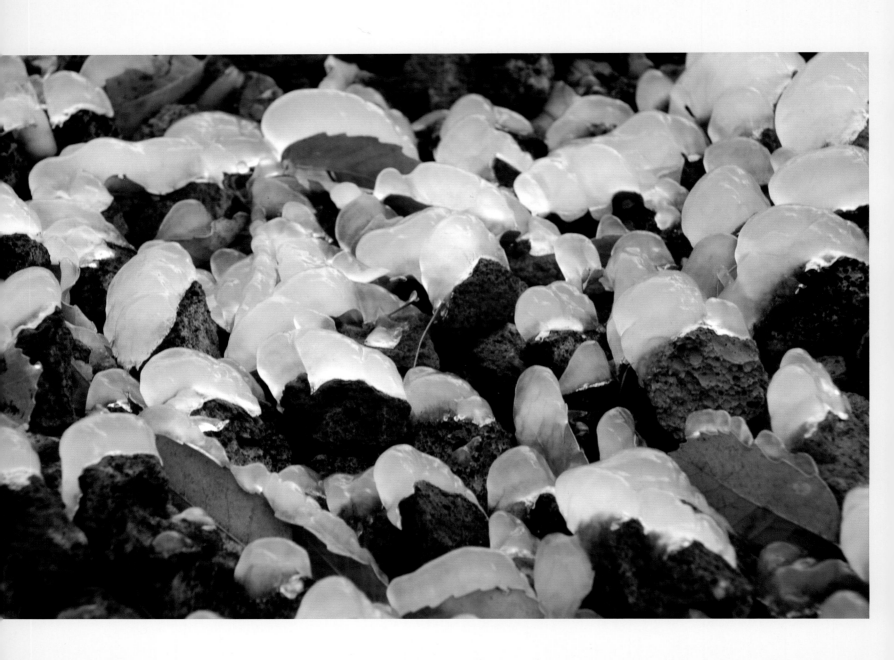

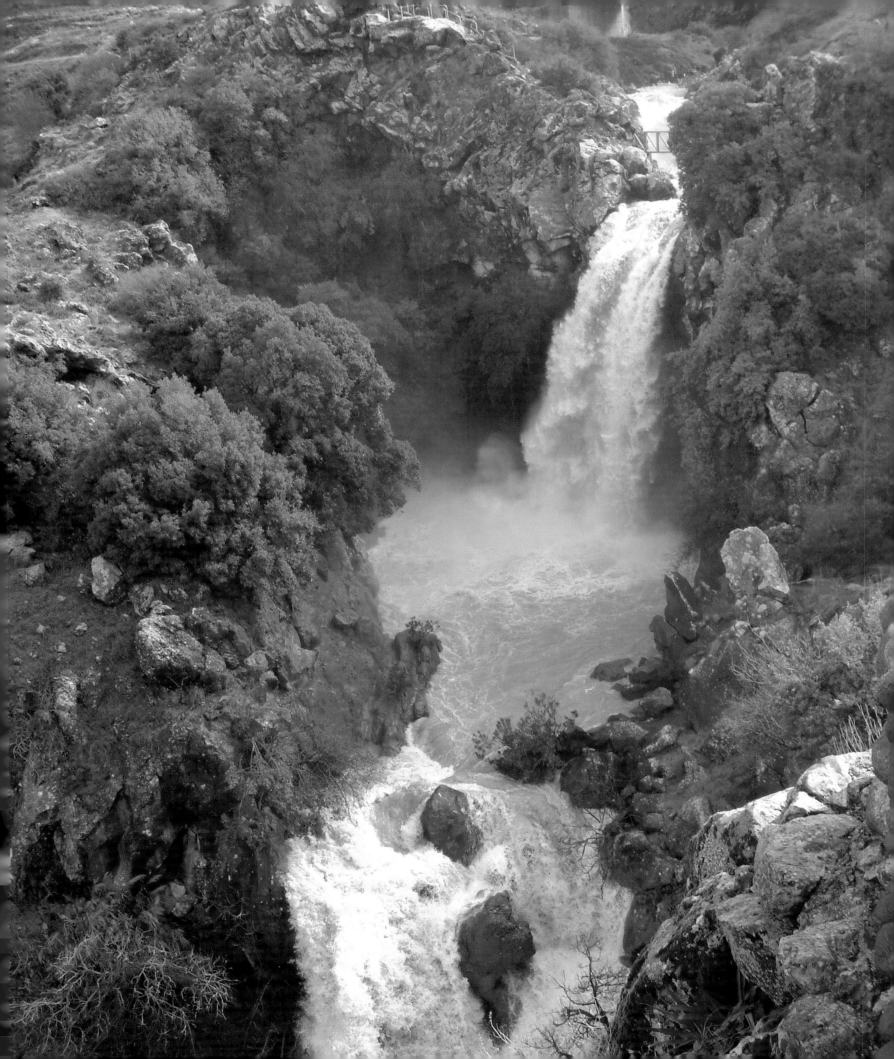

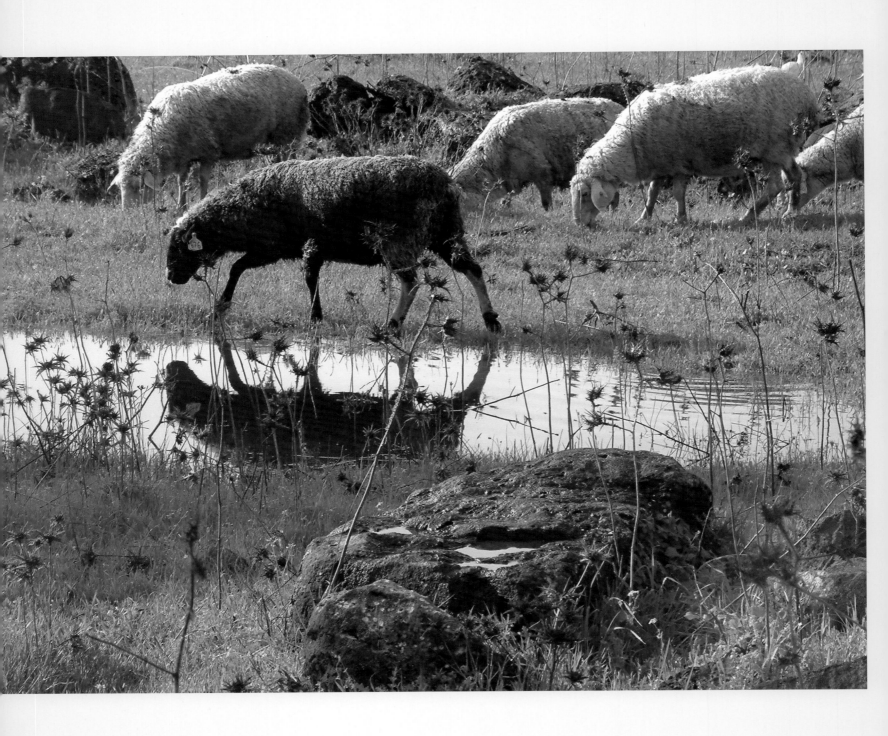

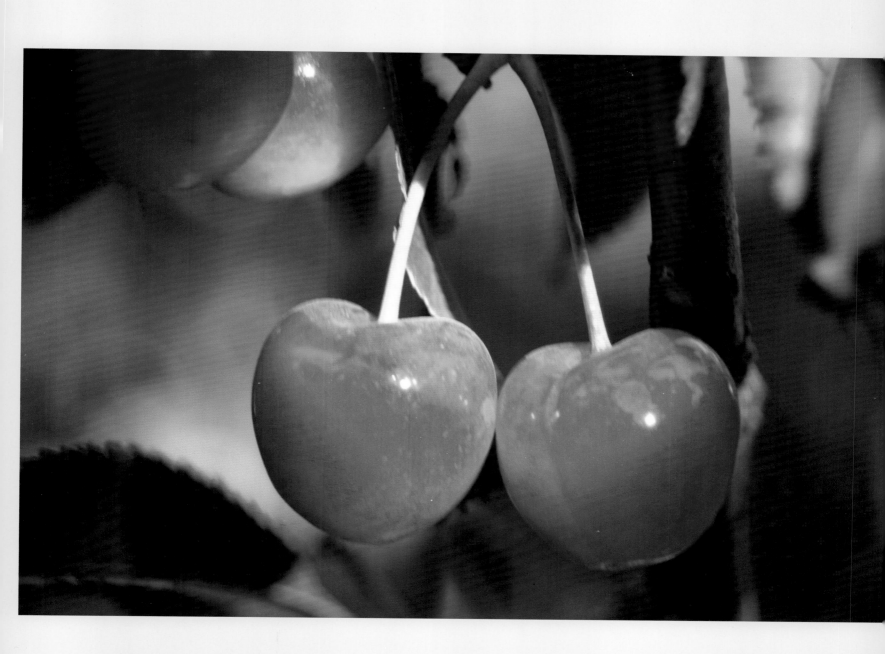

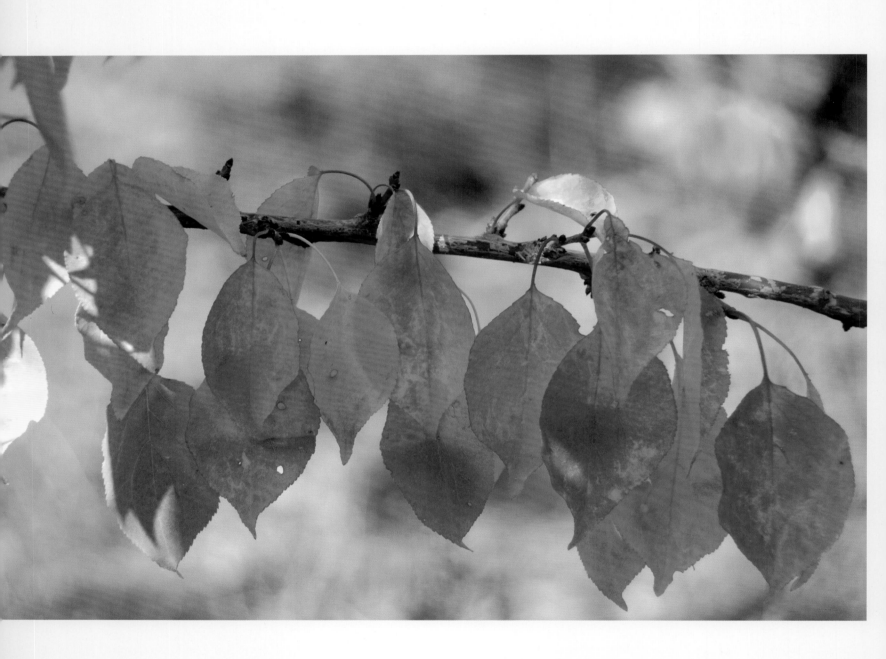

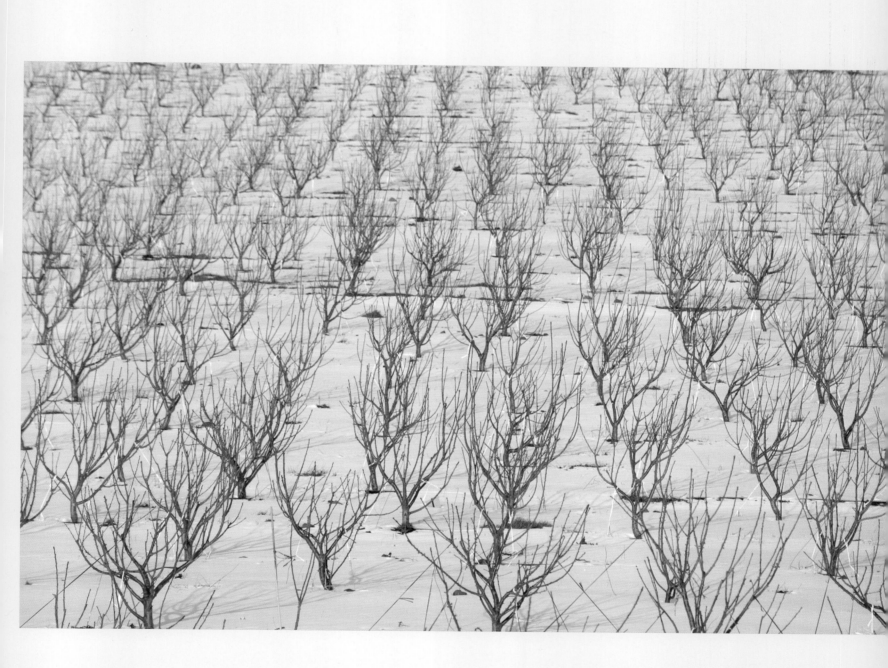

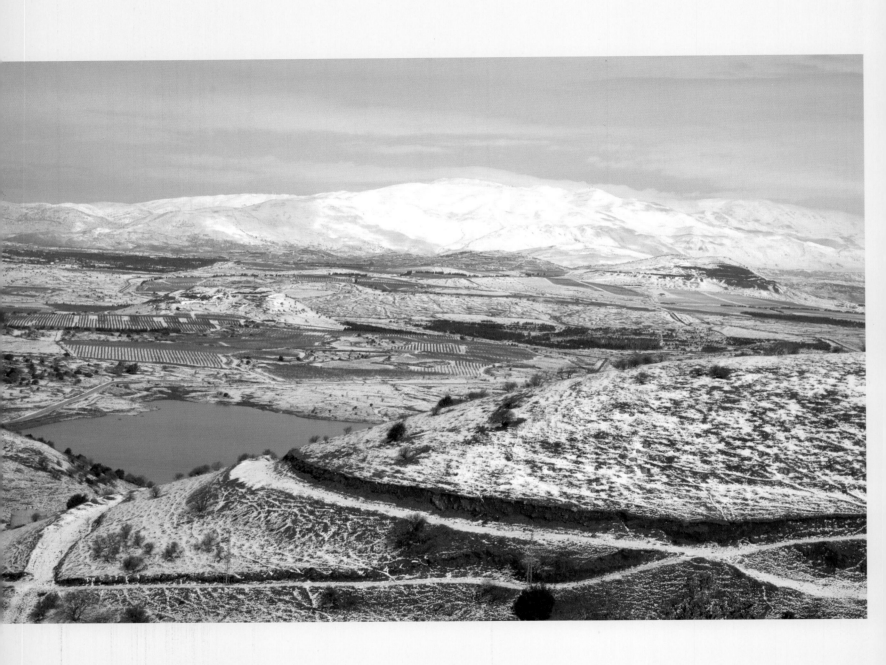

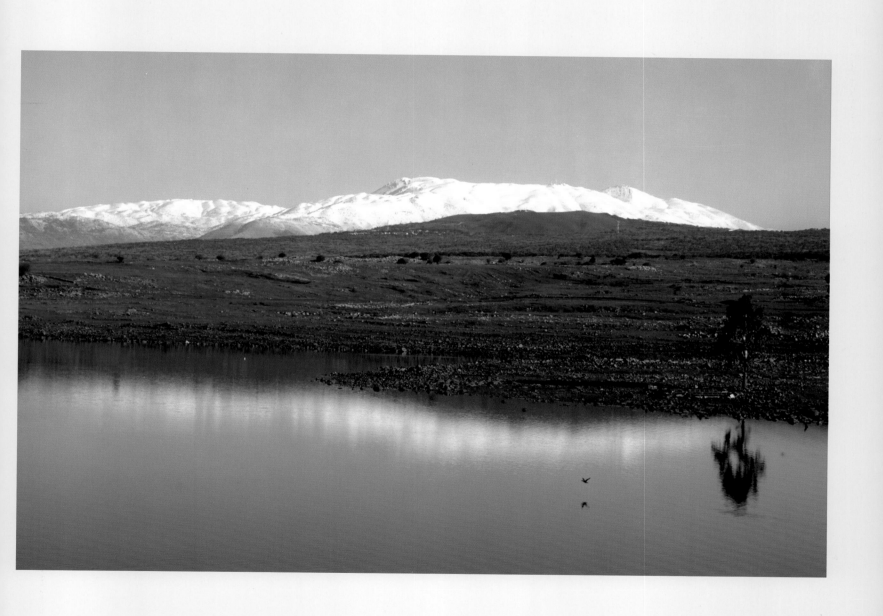

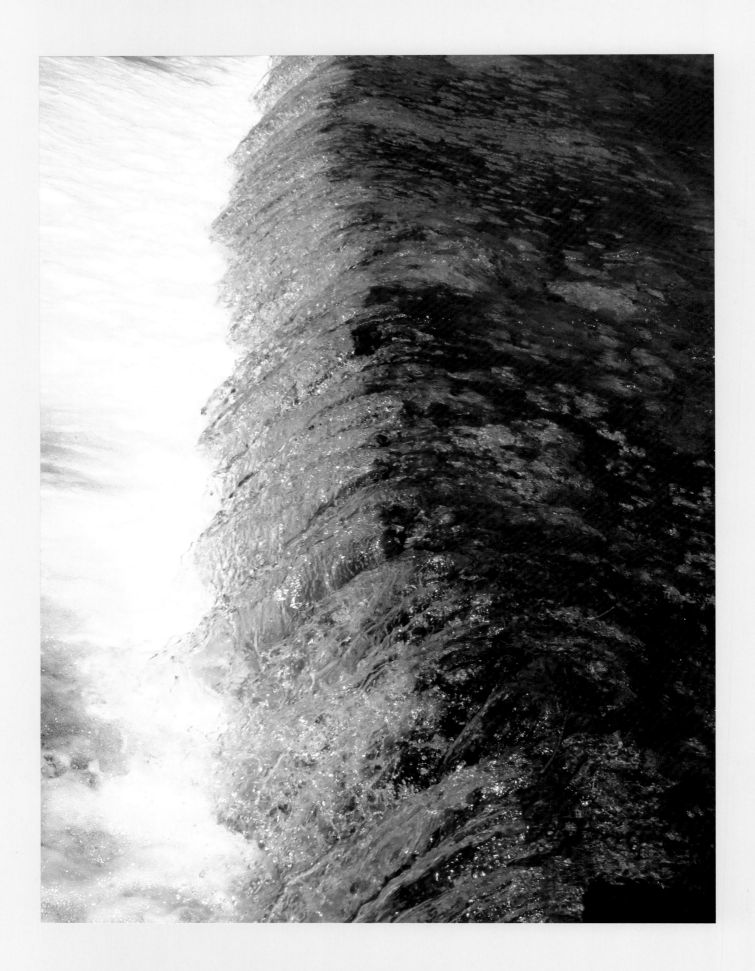

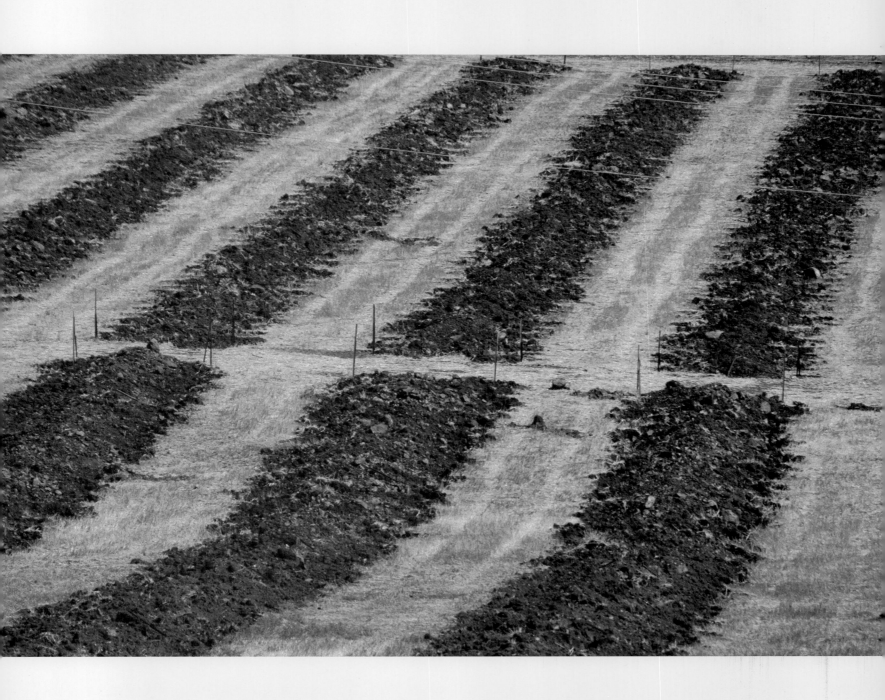

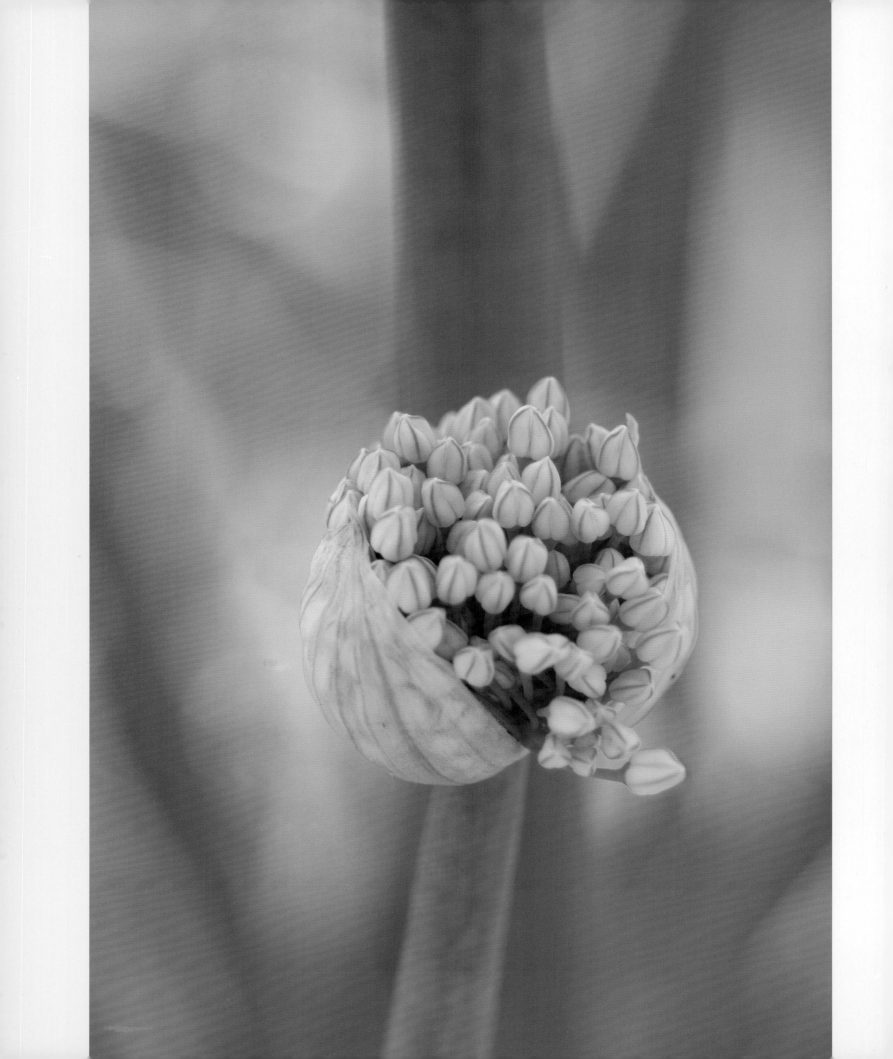

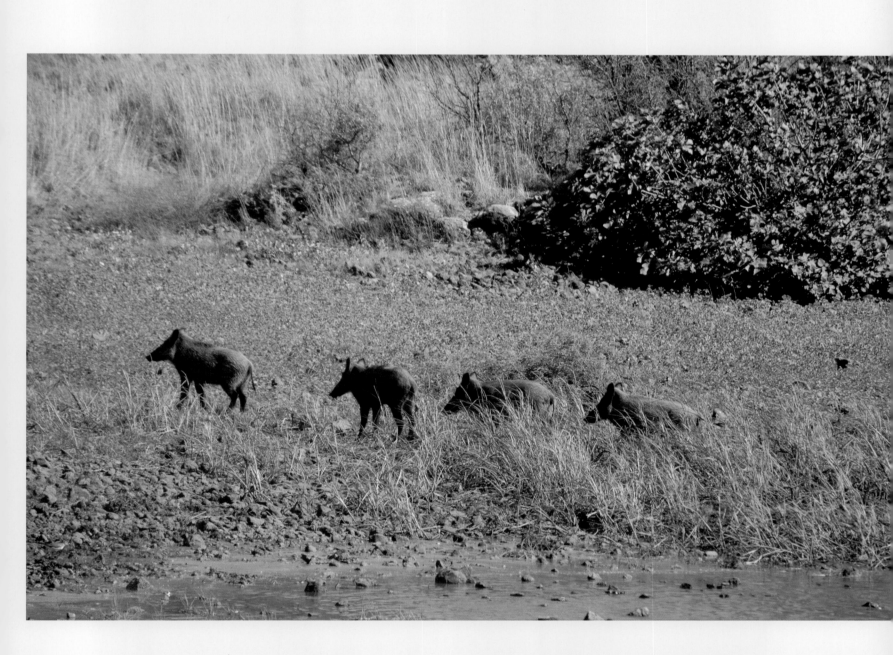

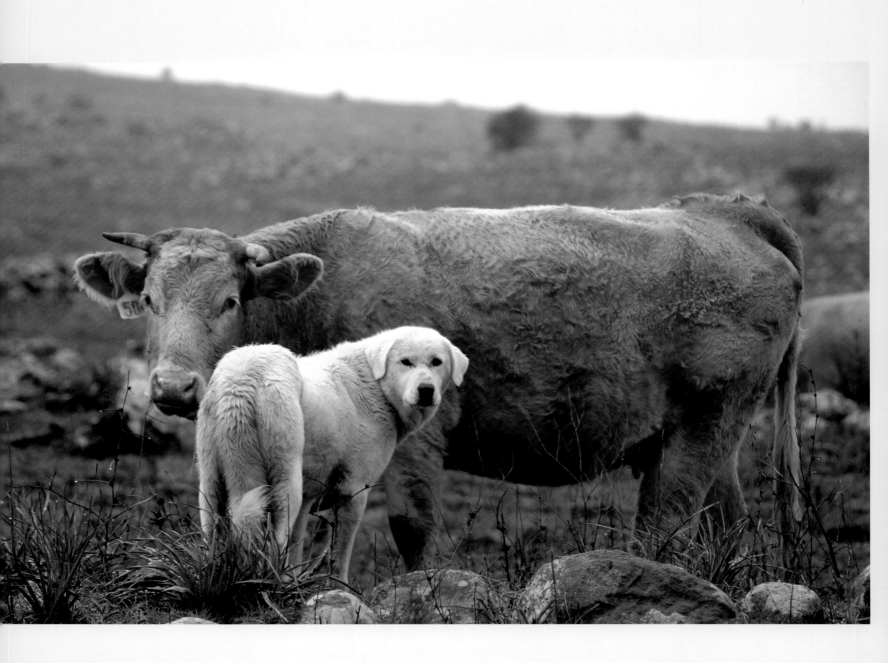

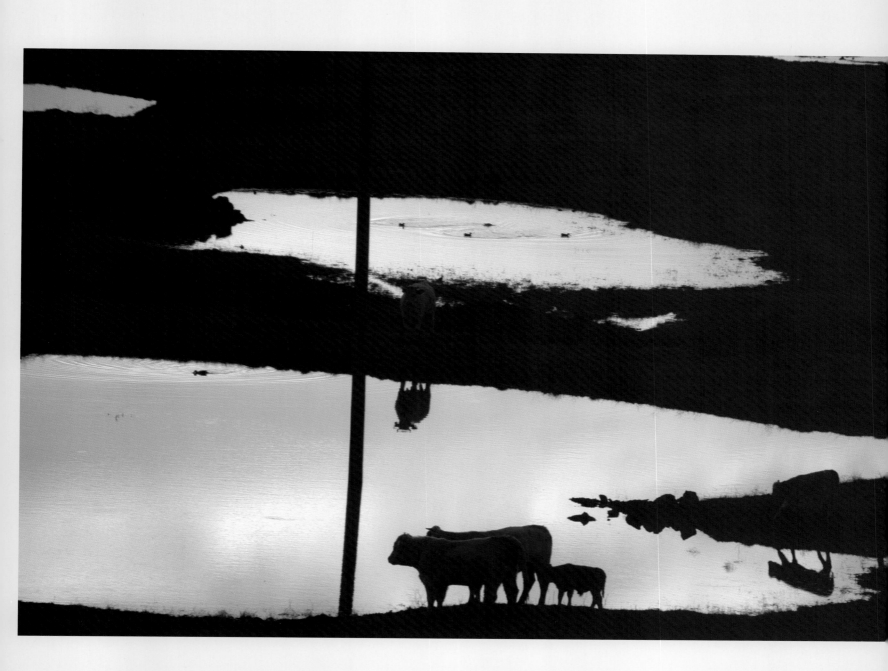

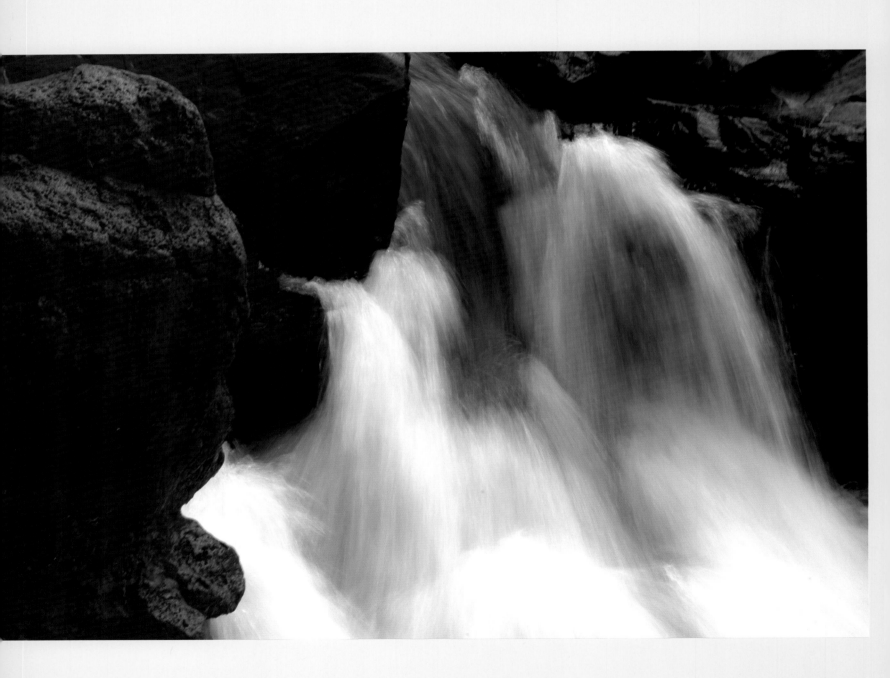

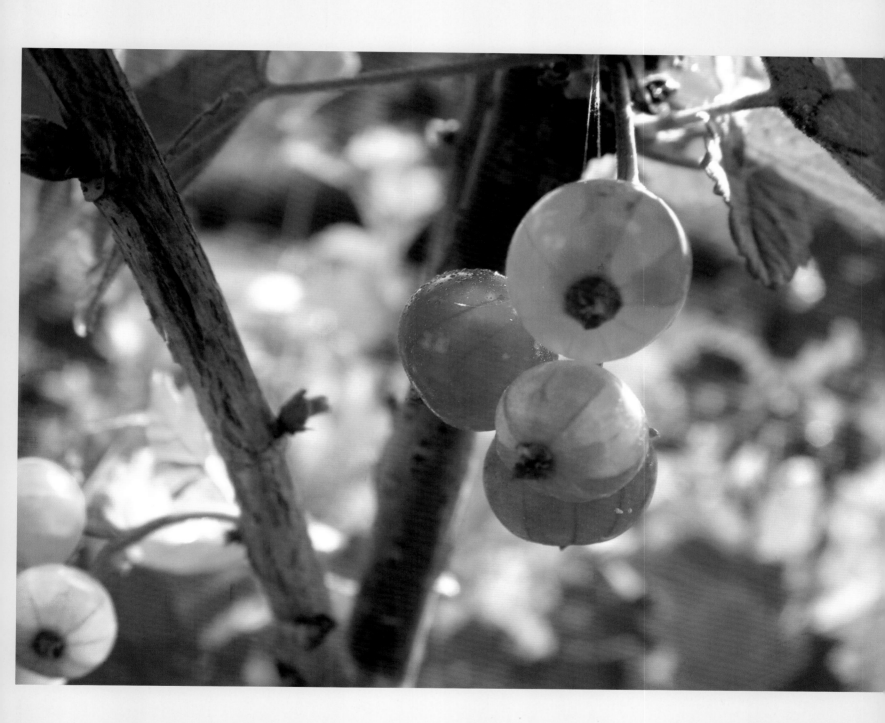

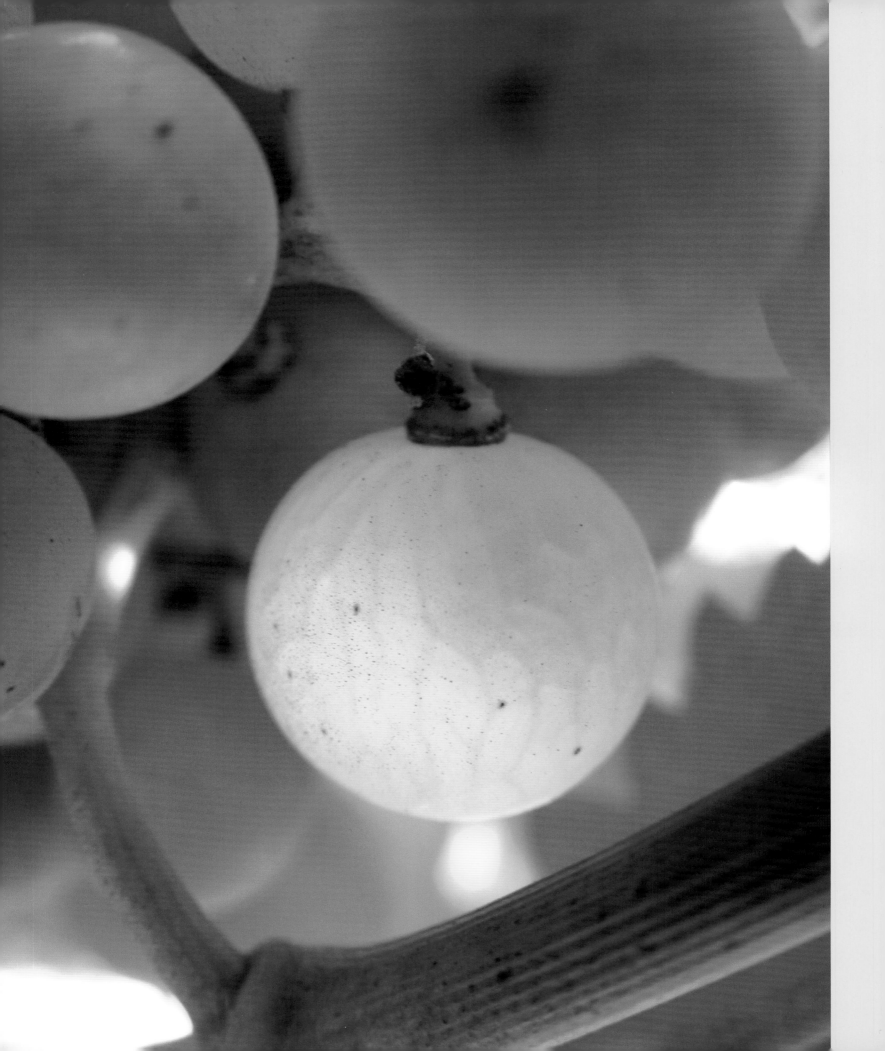

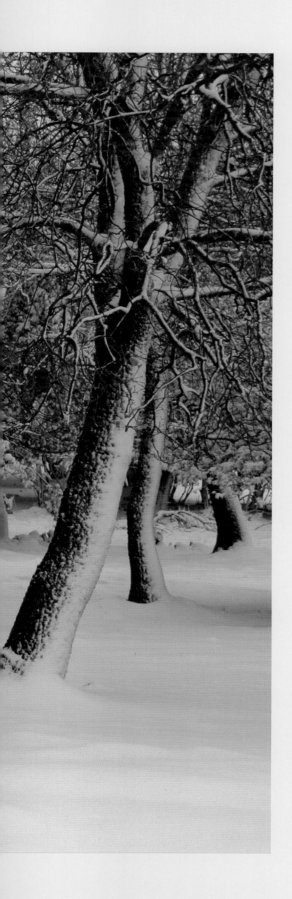

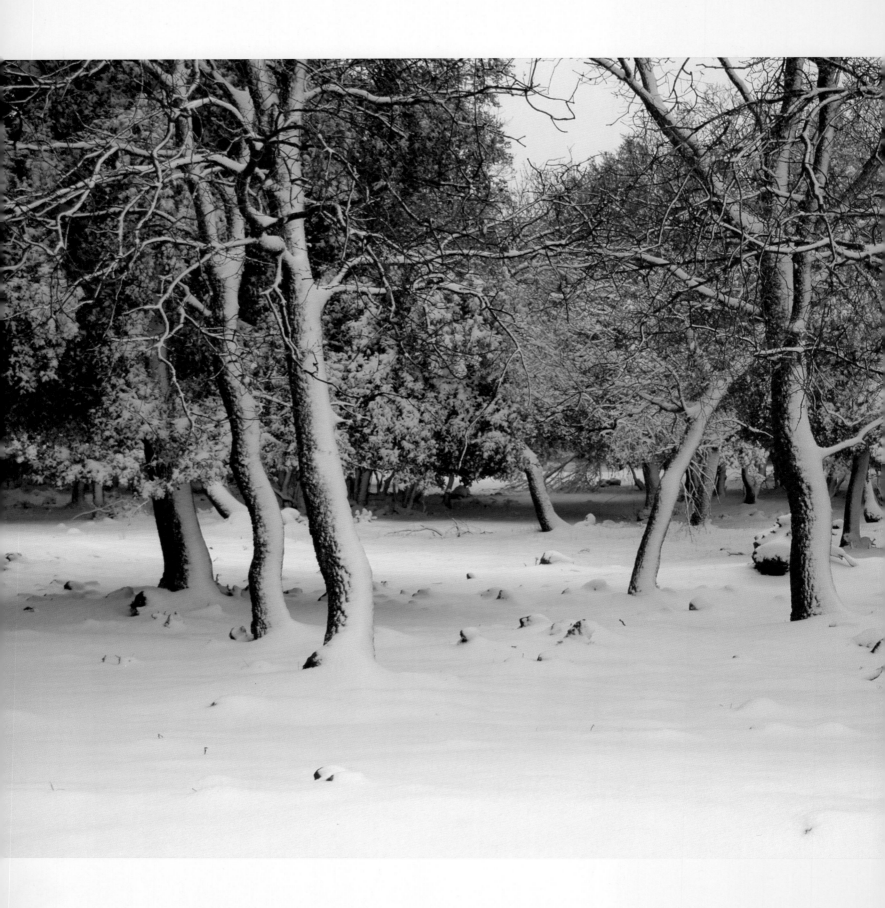

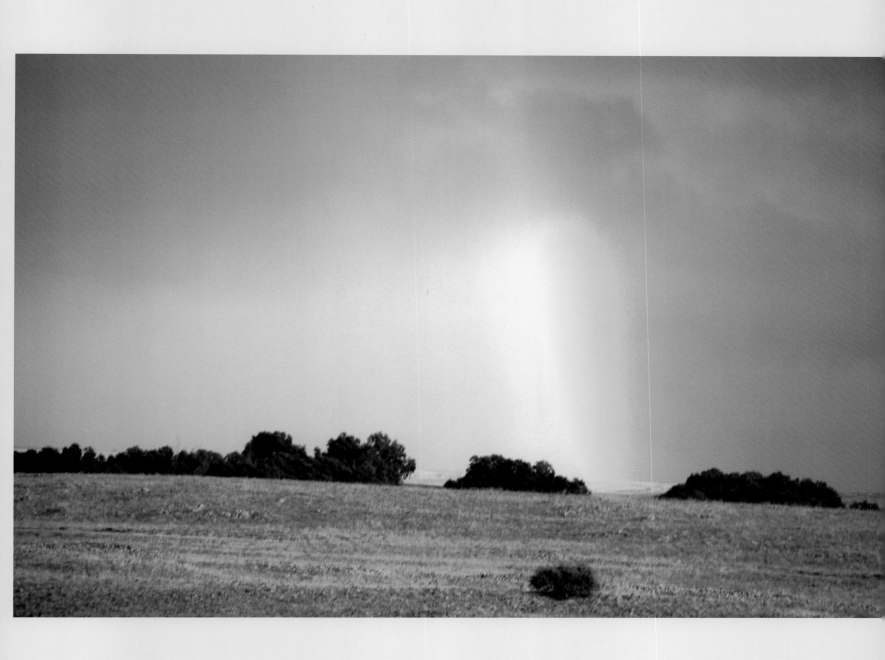

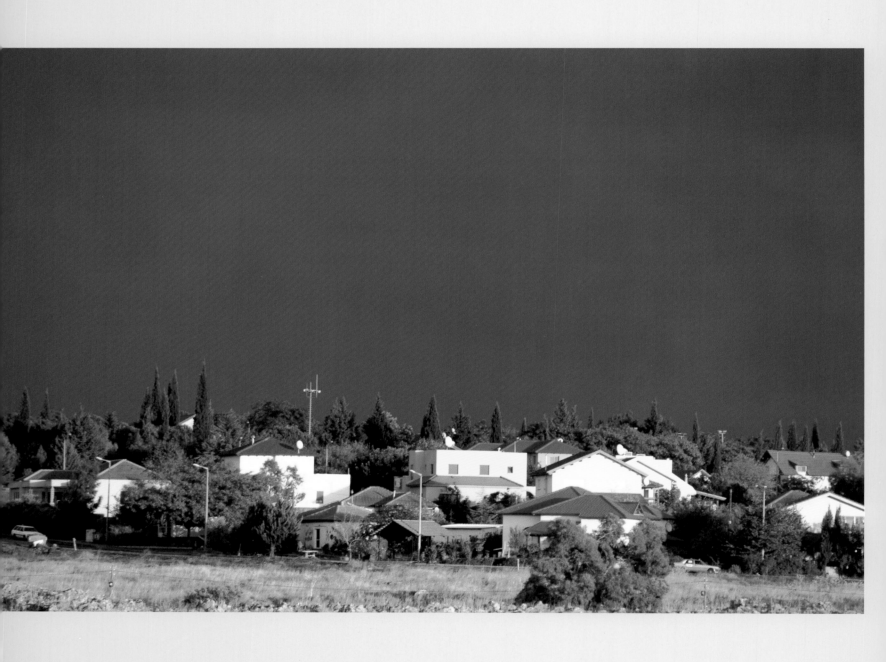

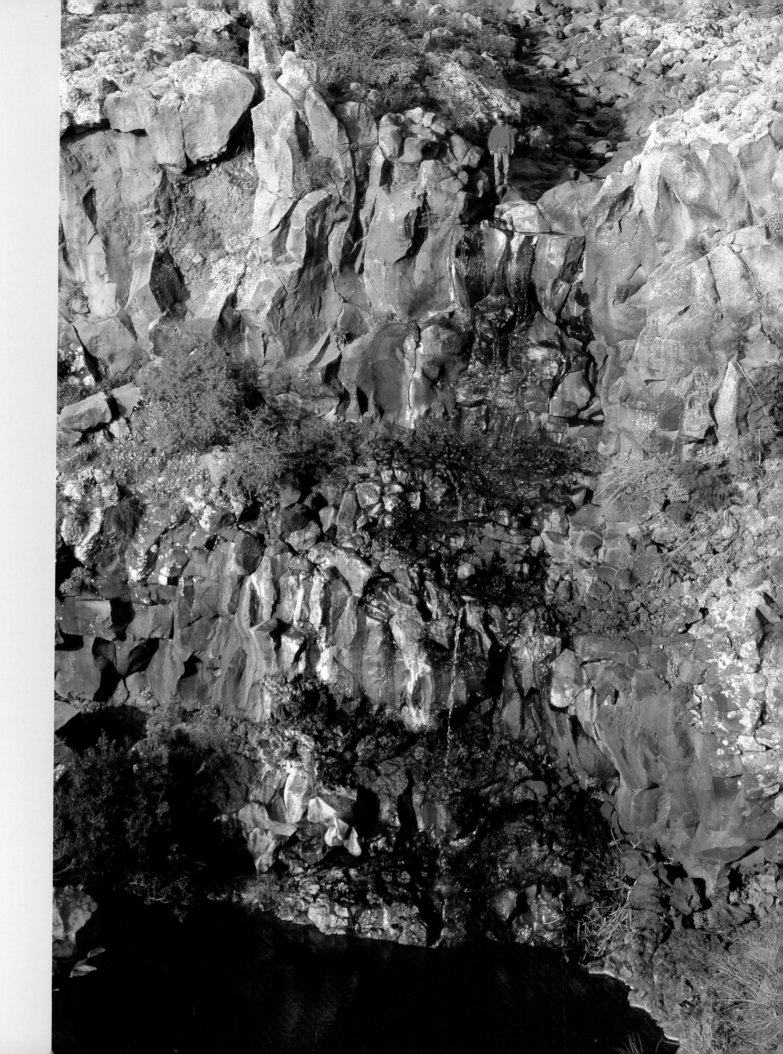

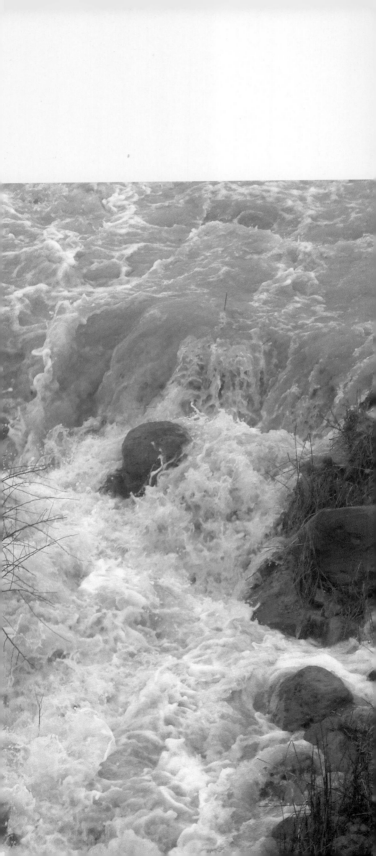

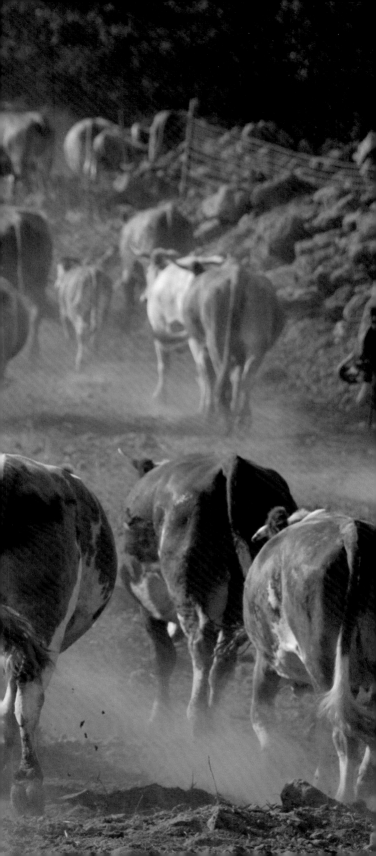

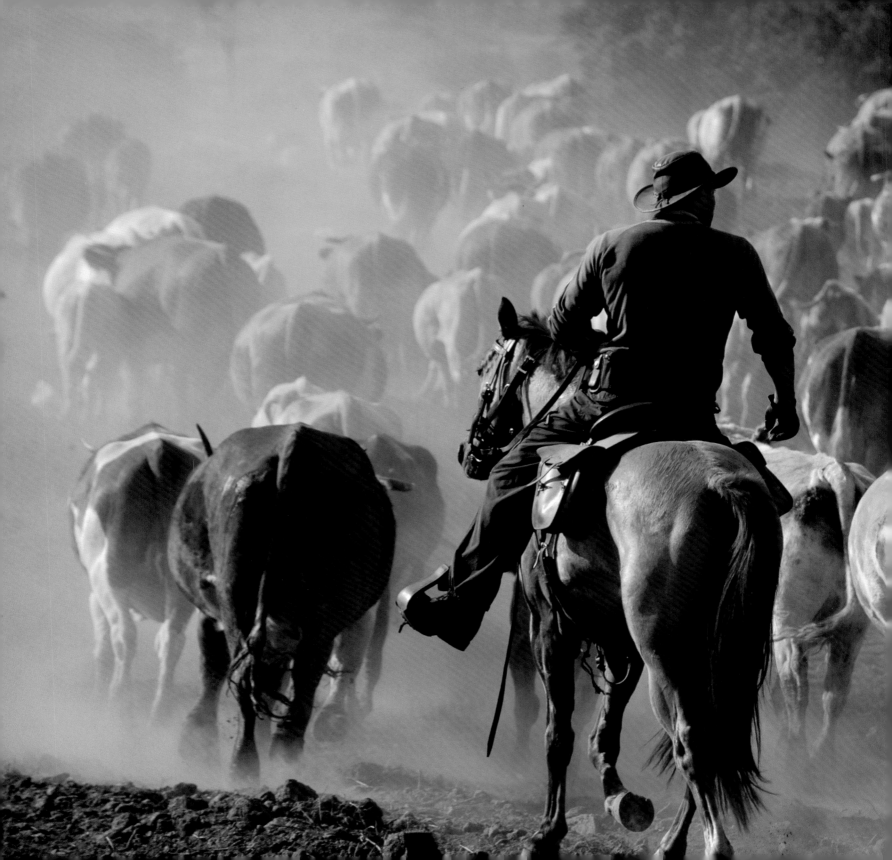

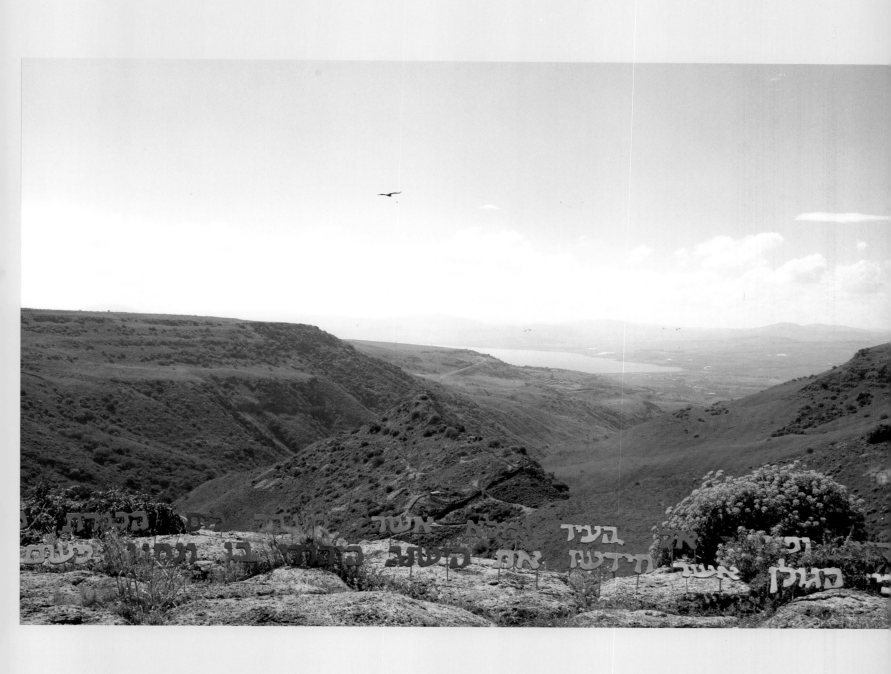

I6

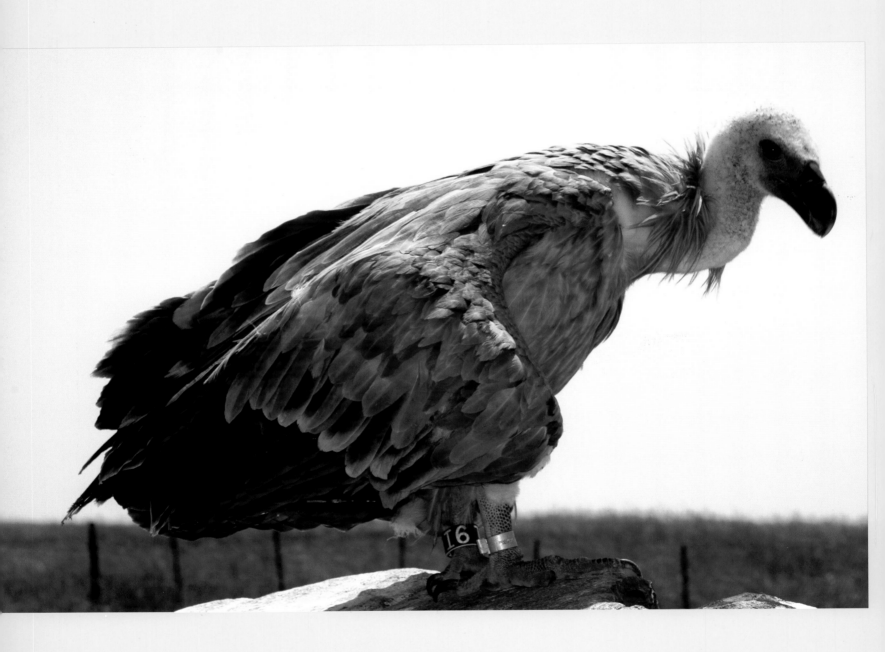

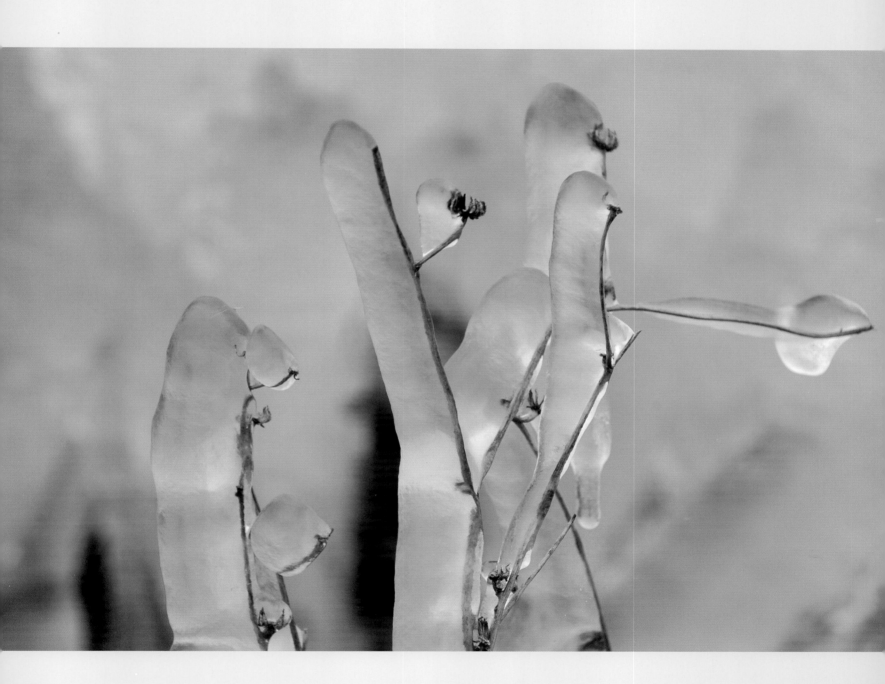

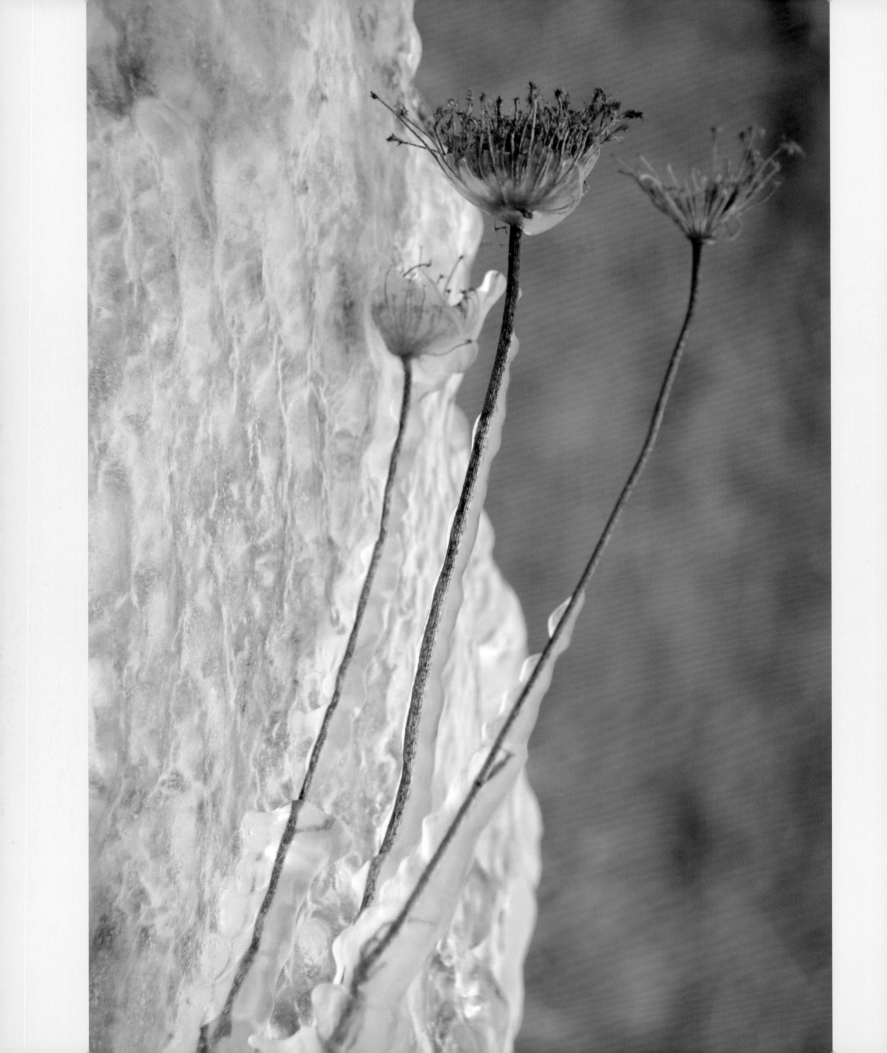

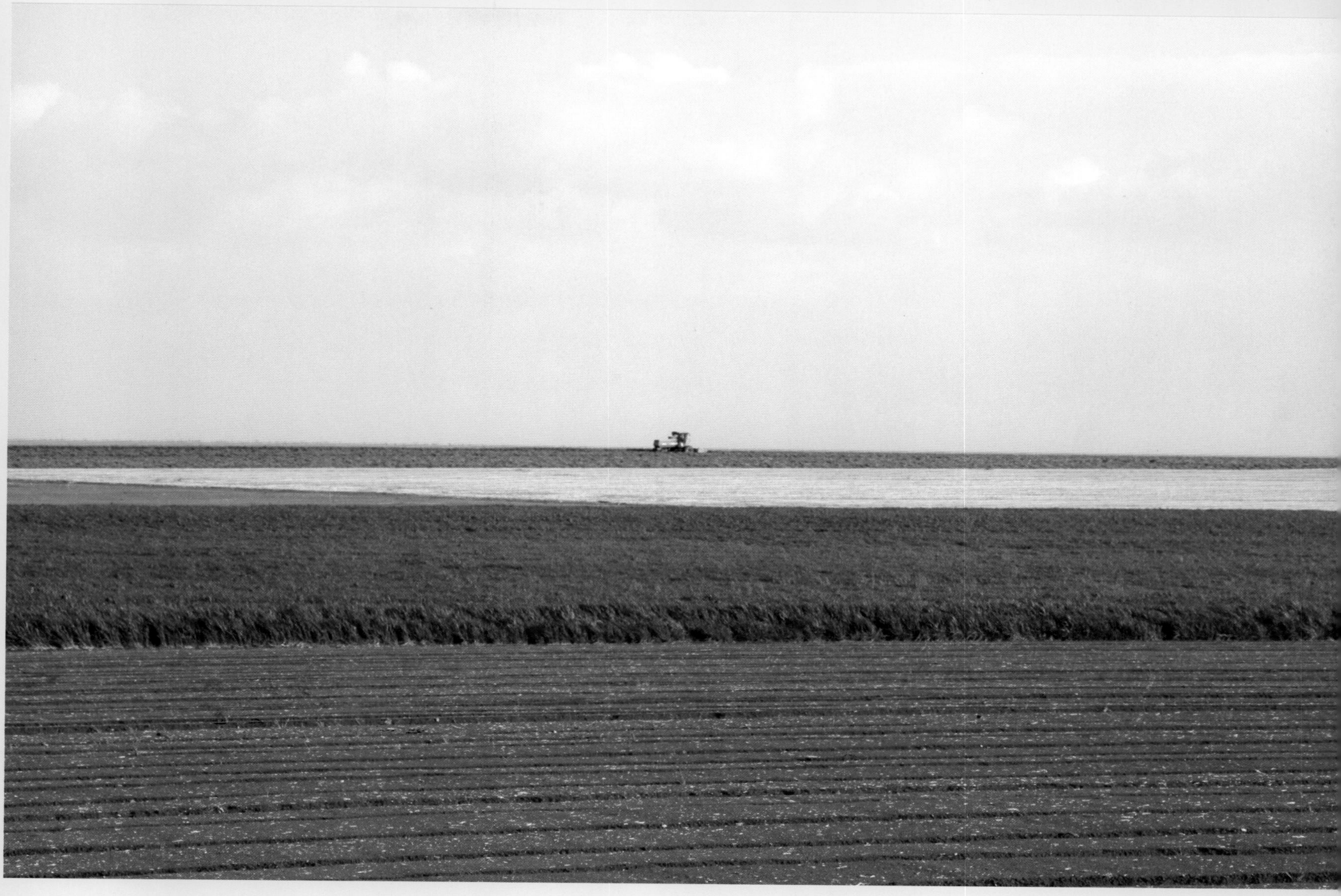

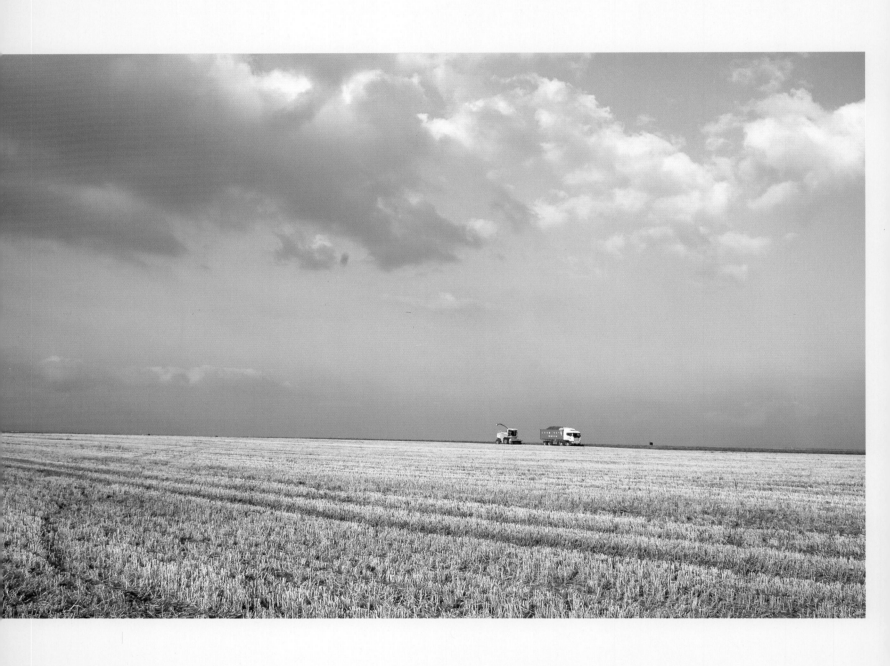

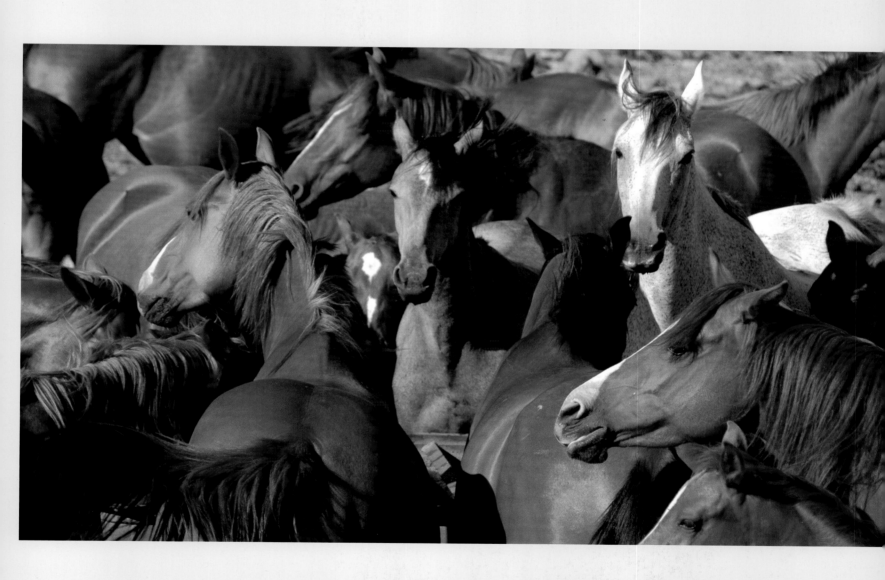

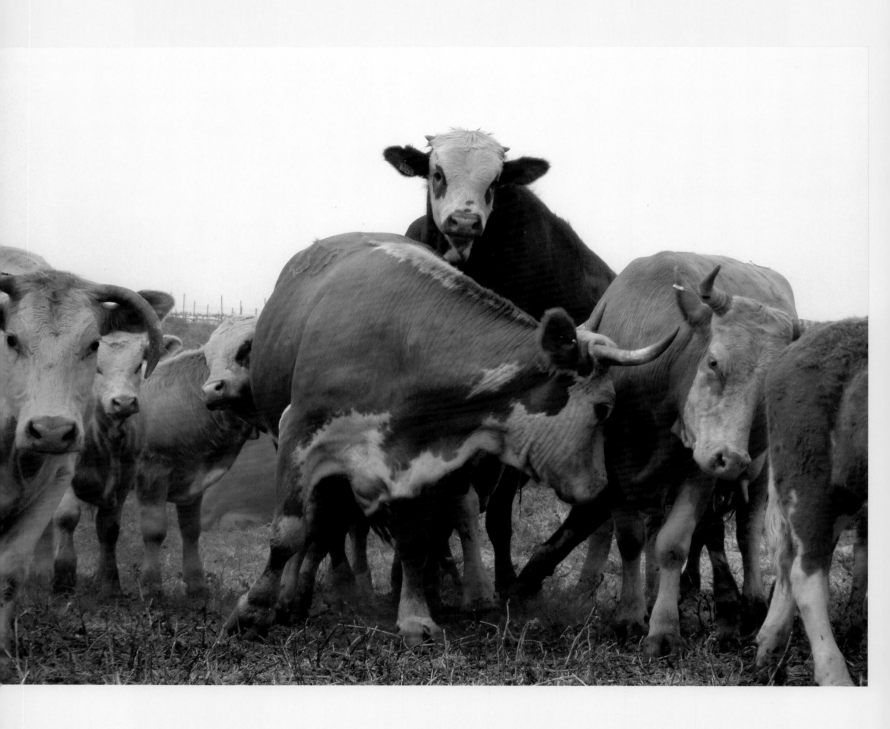

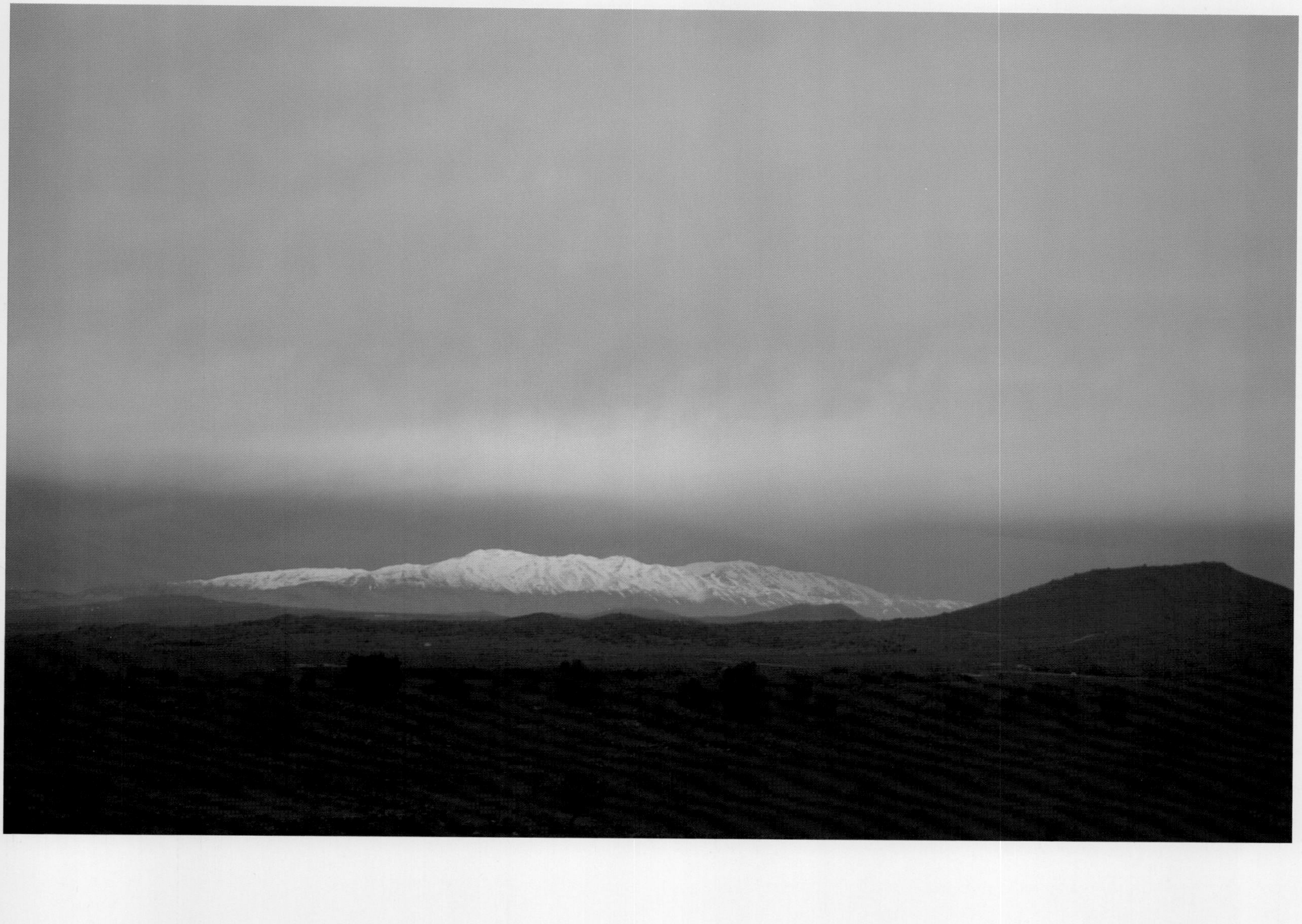

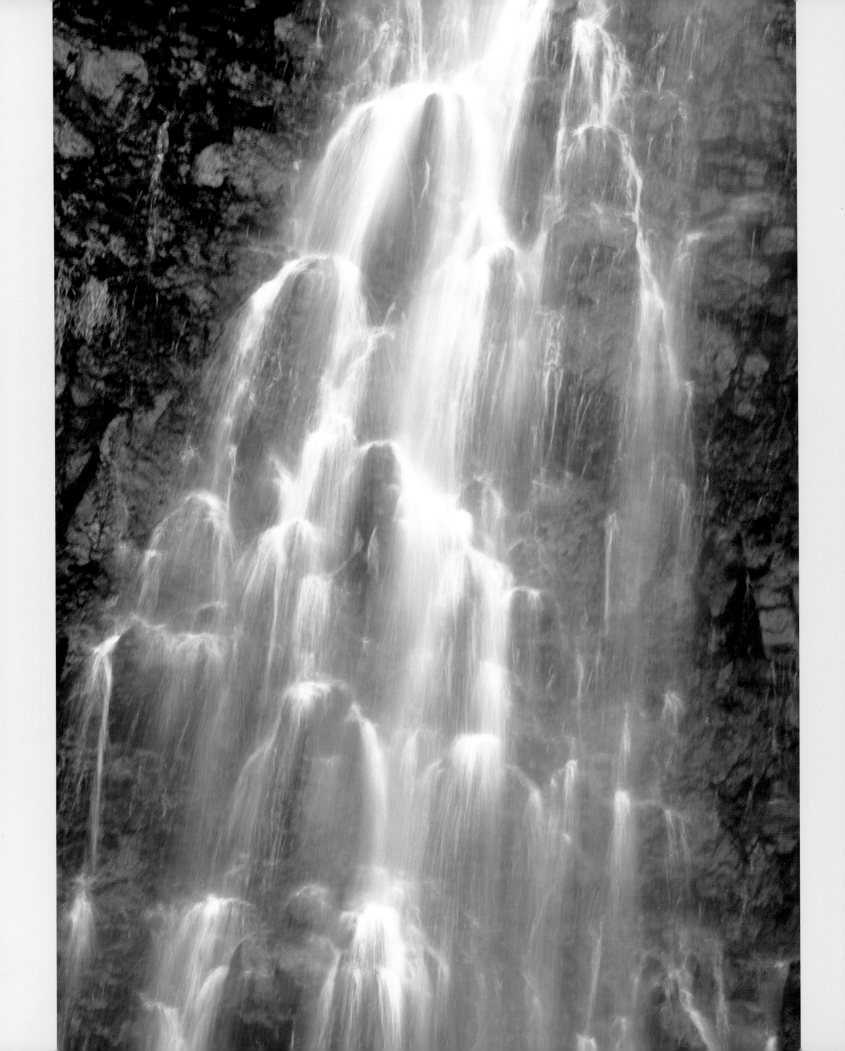

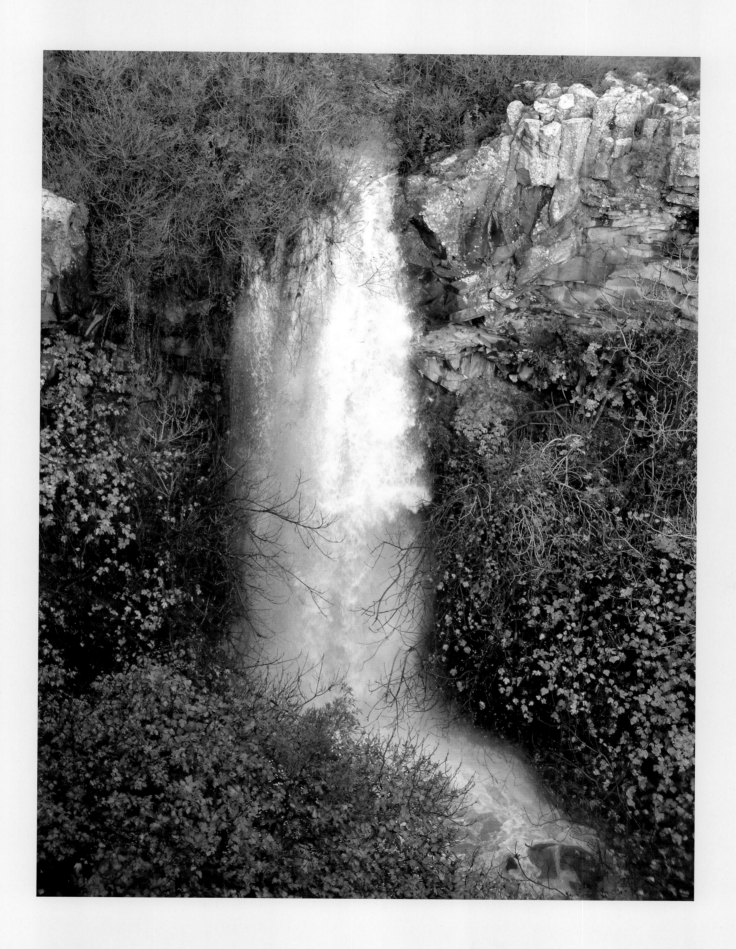

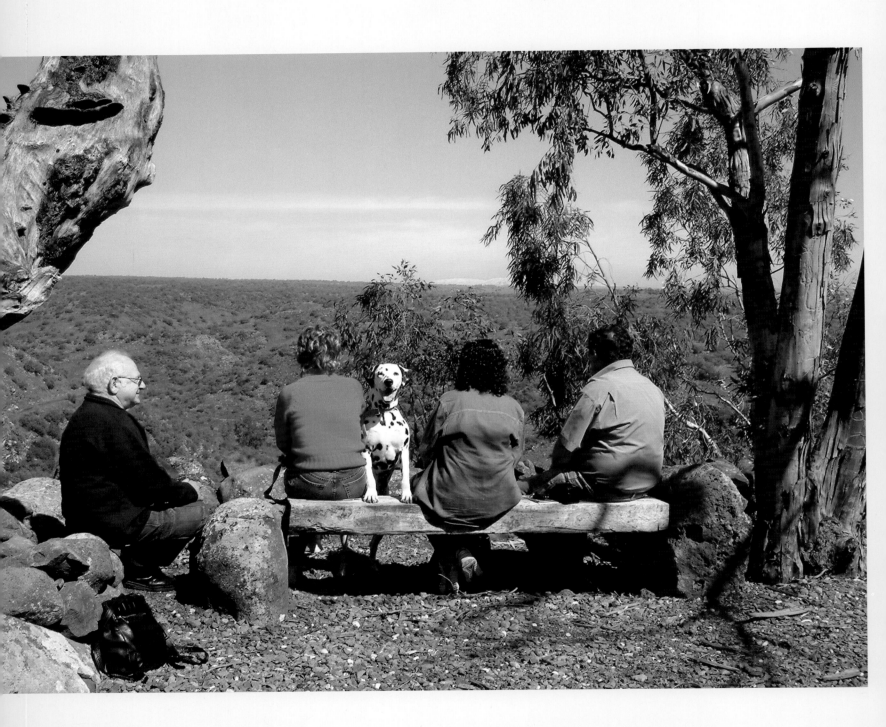

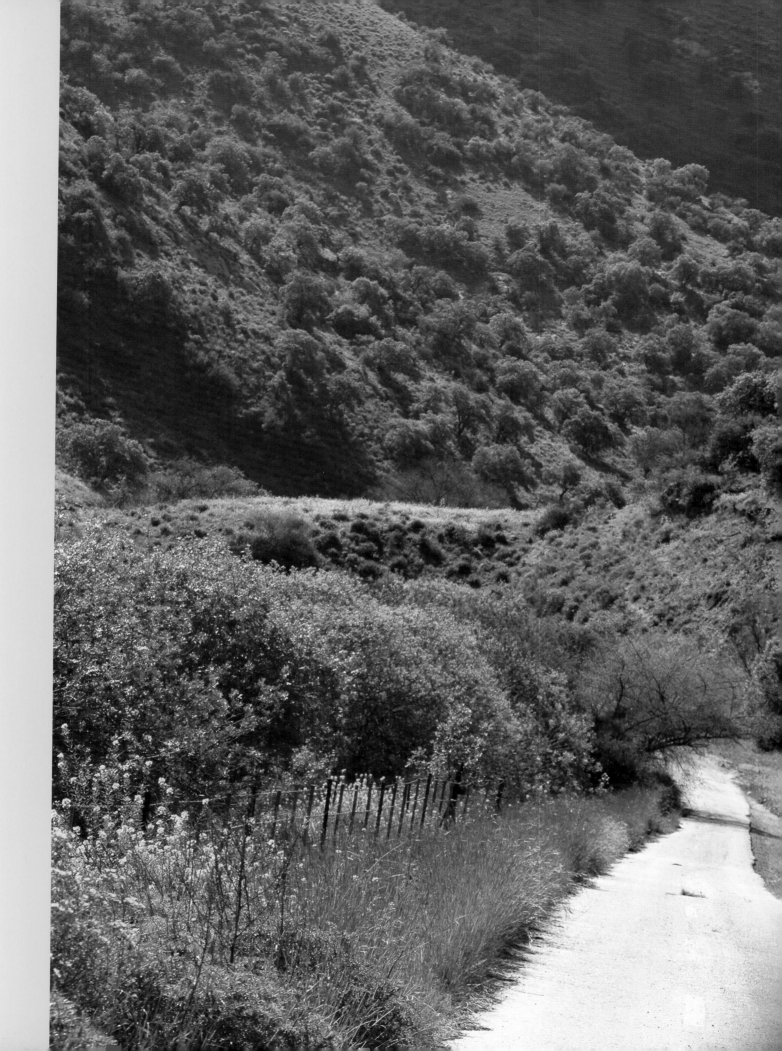

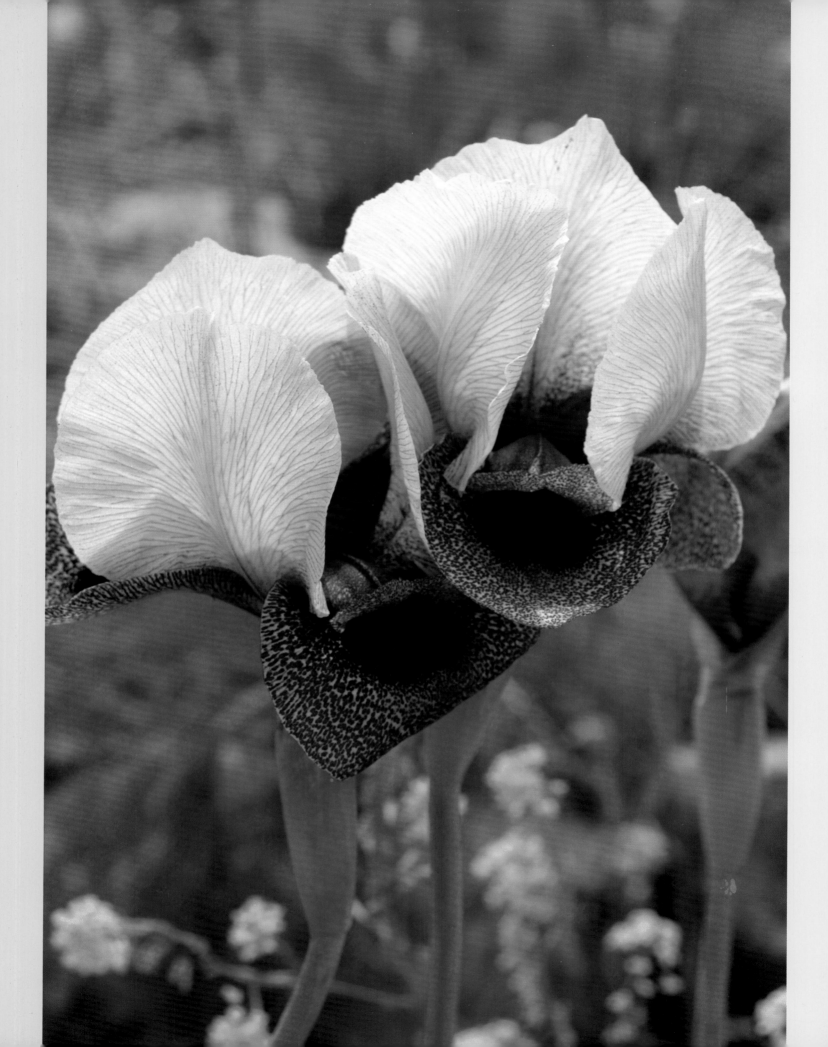

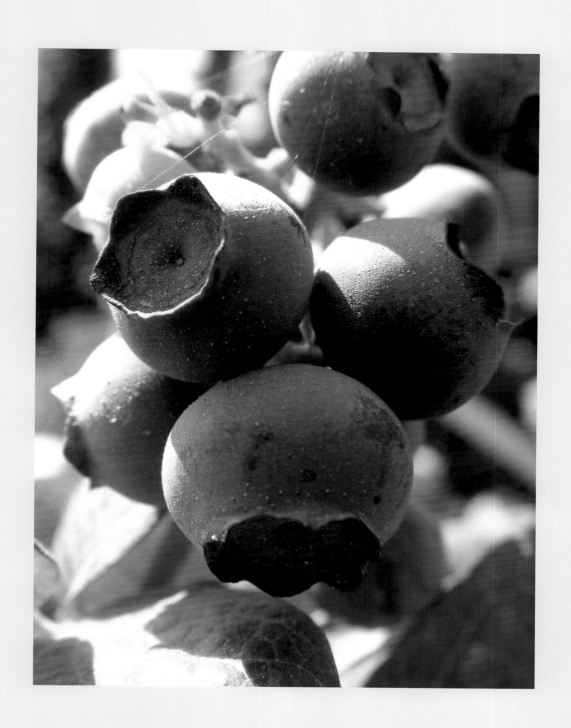

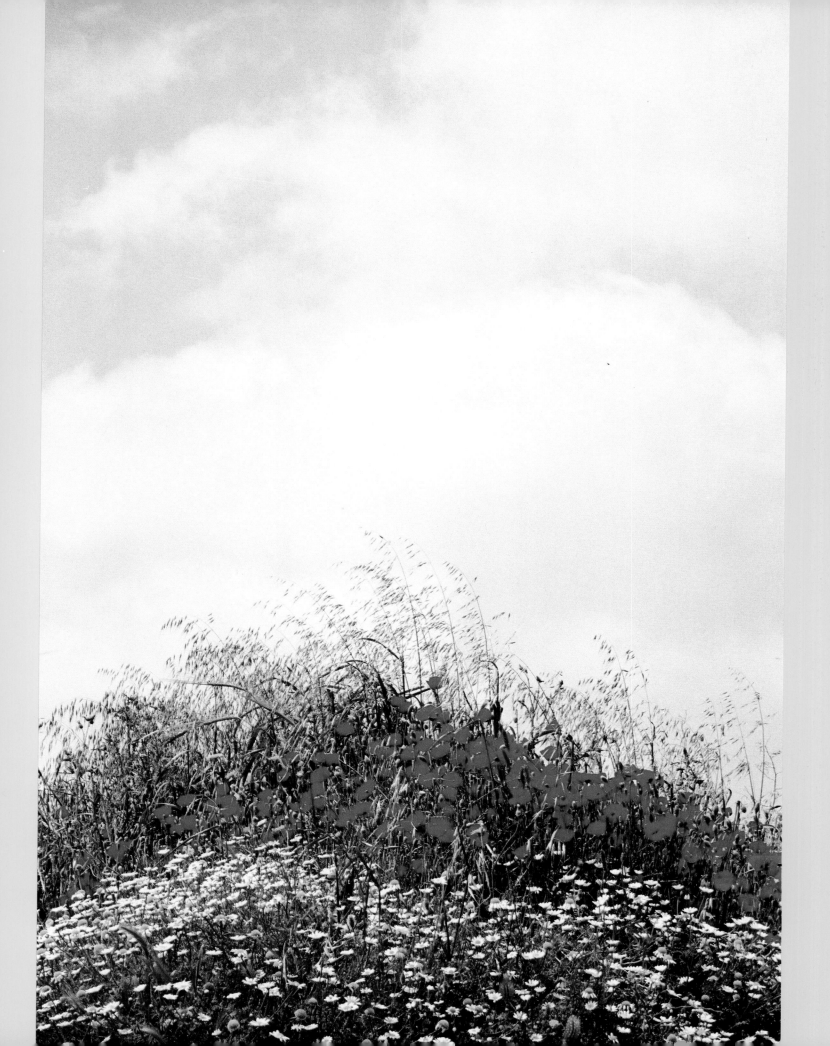

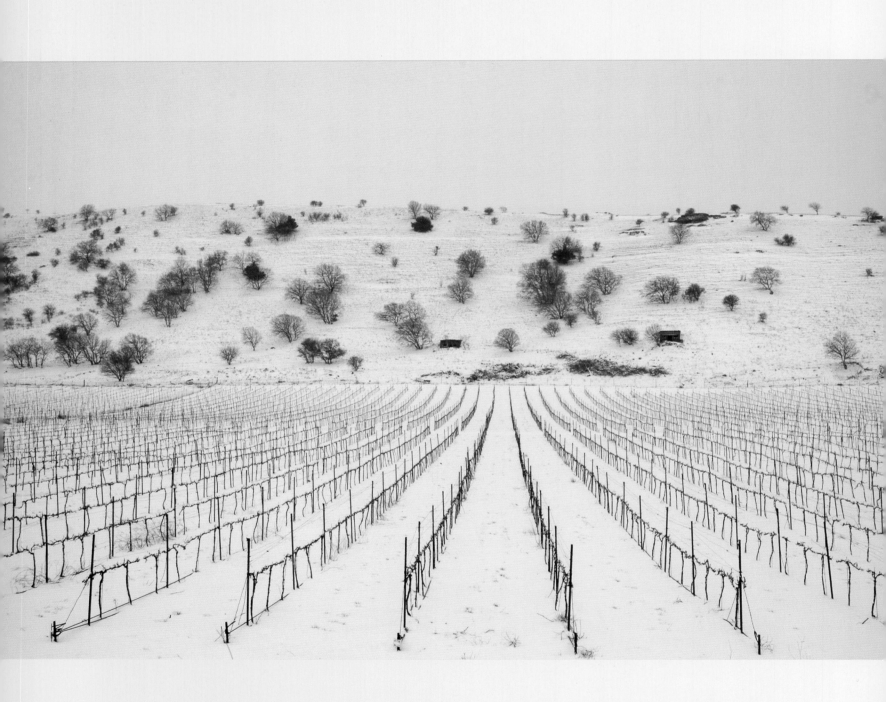

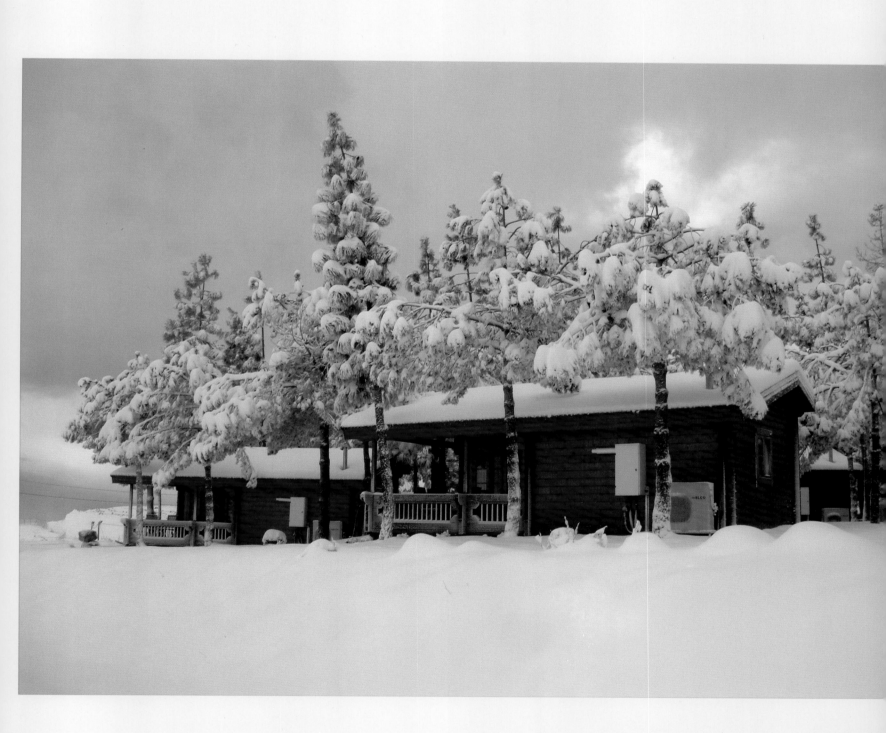

FILA

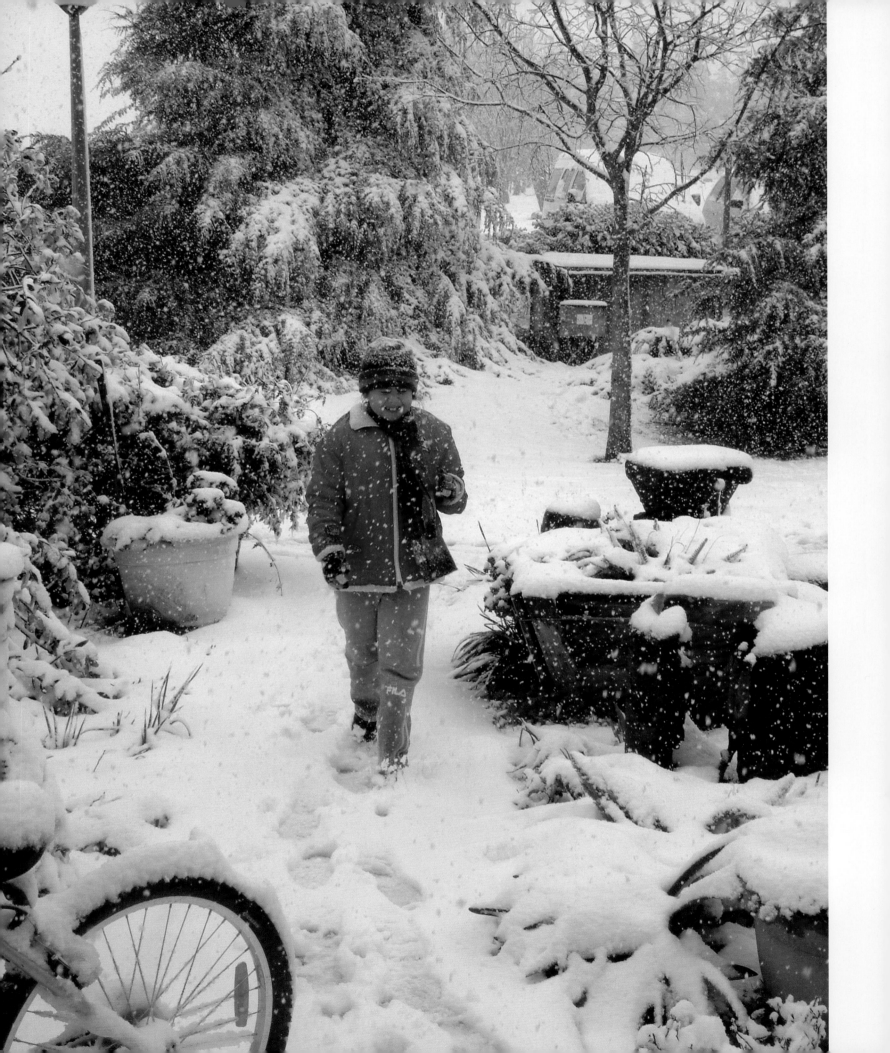

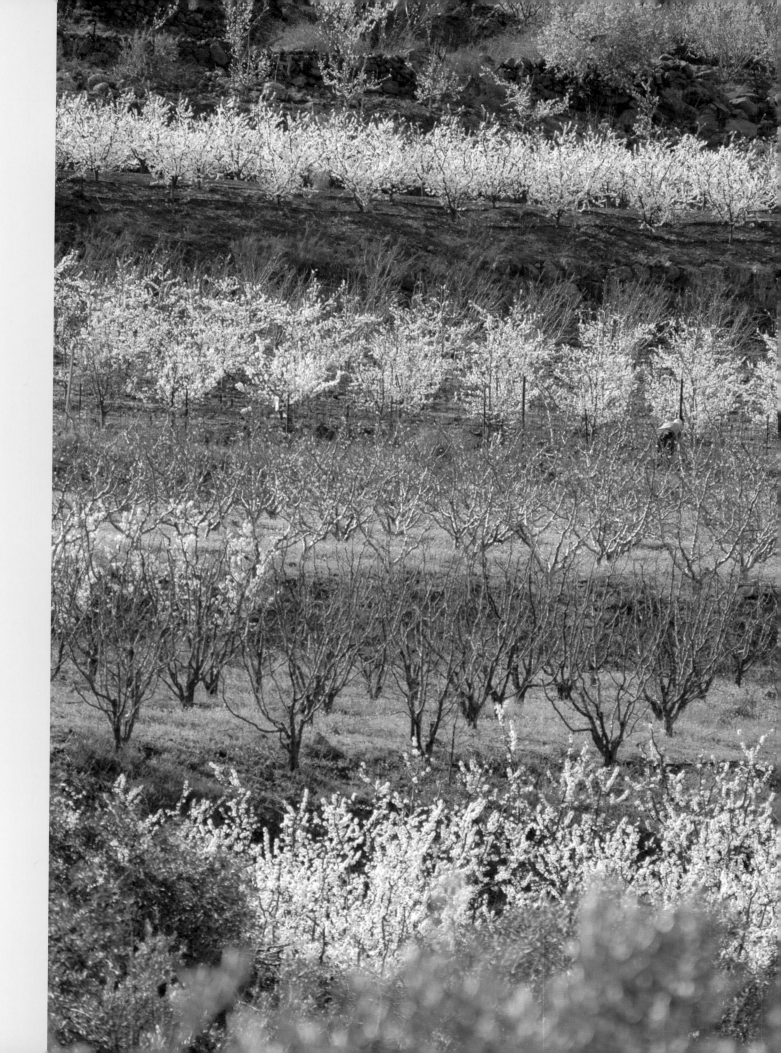

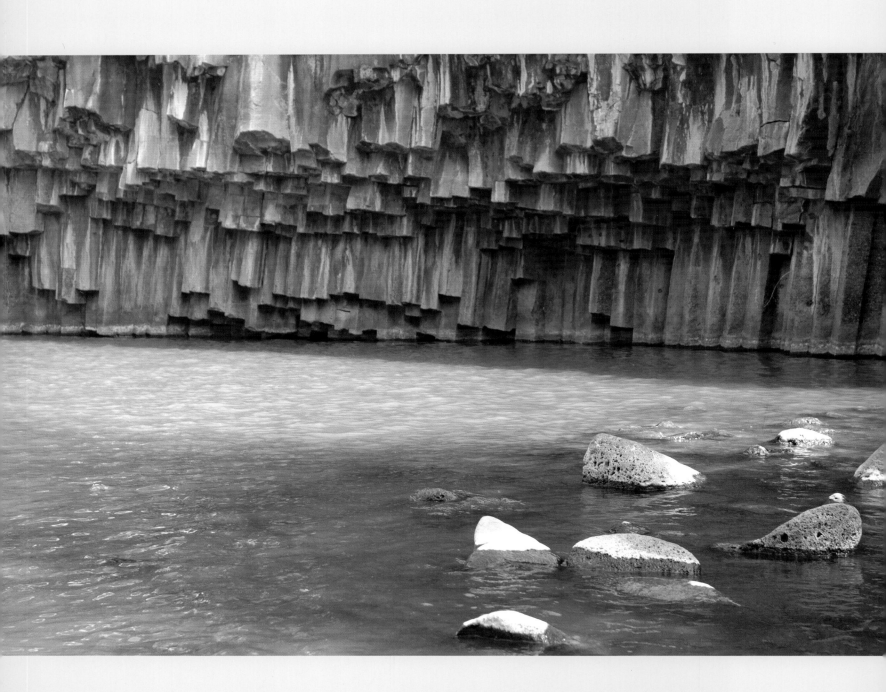

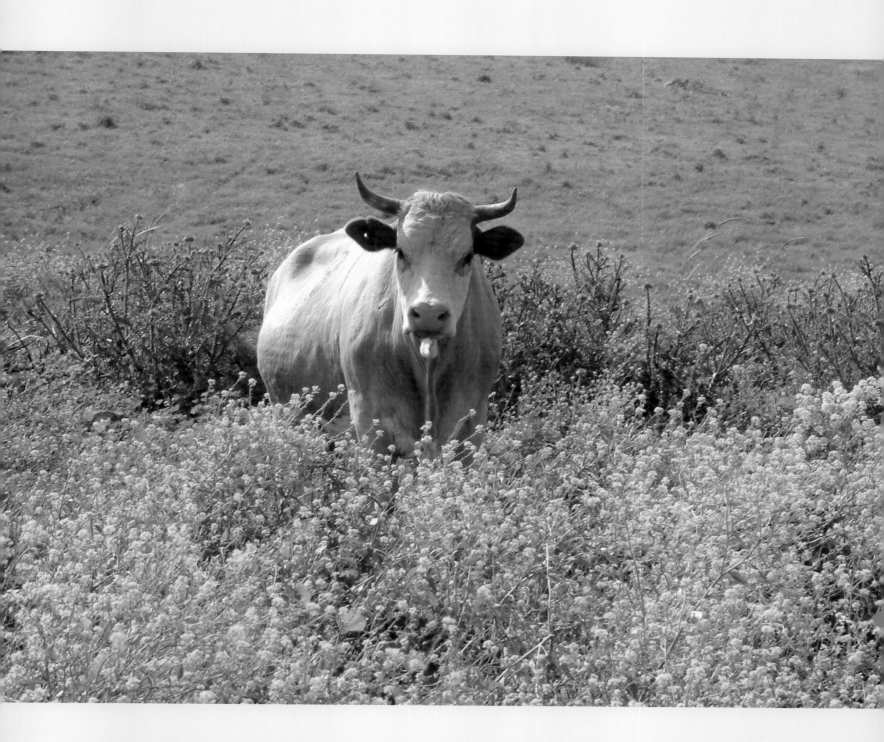

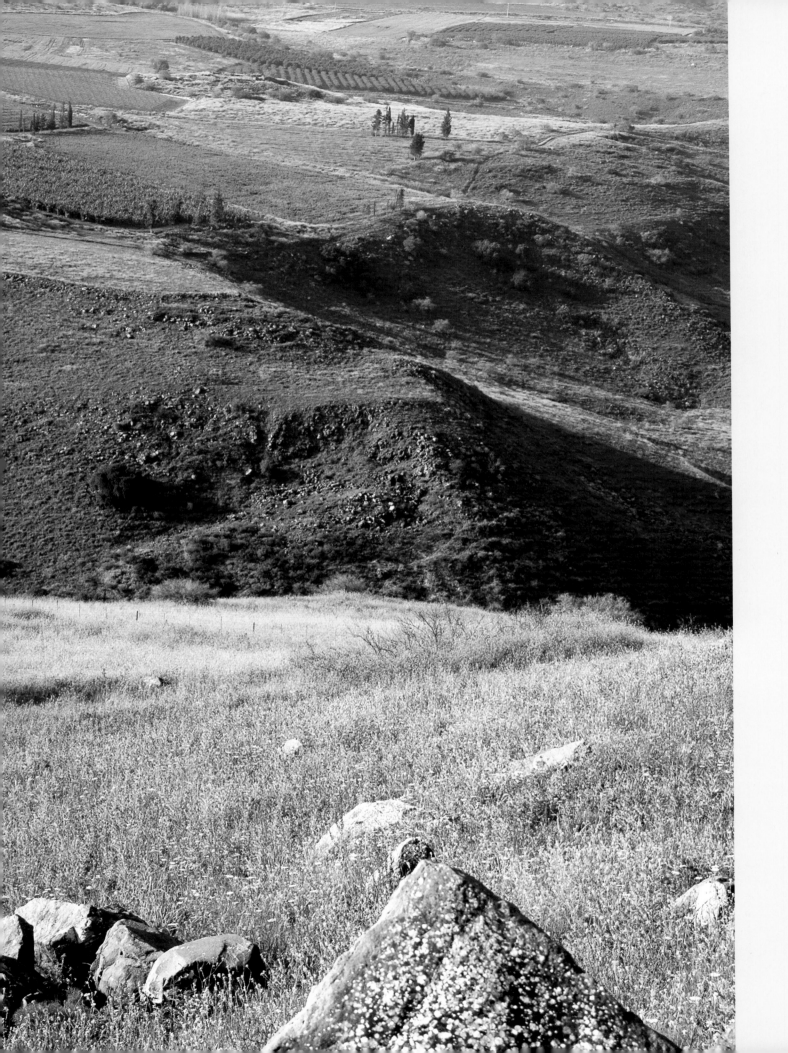

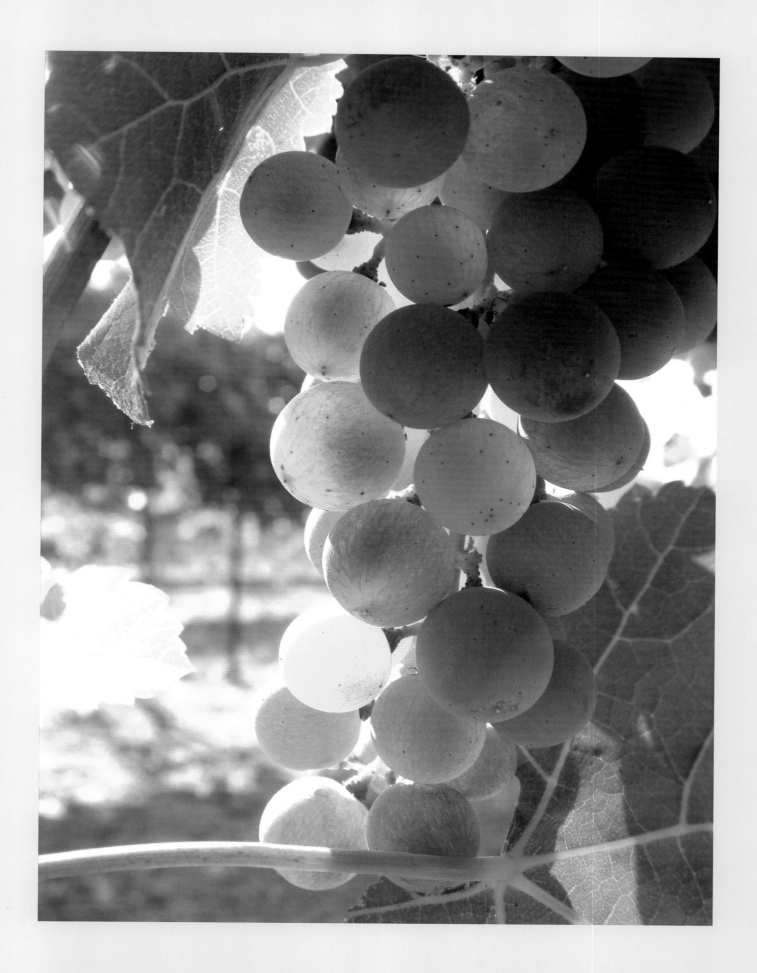

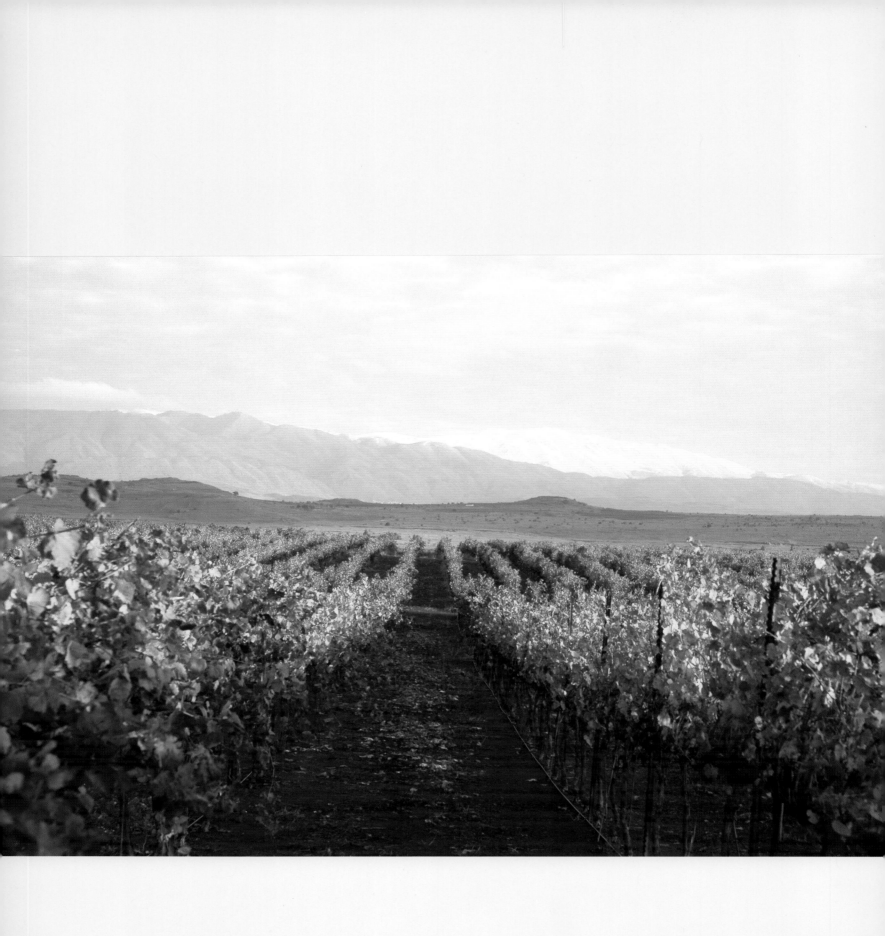

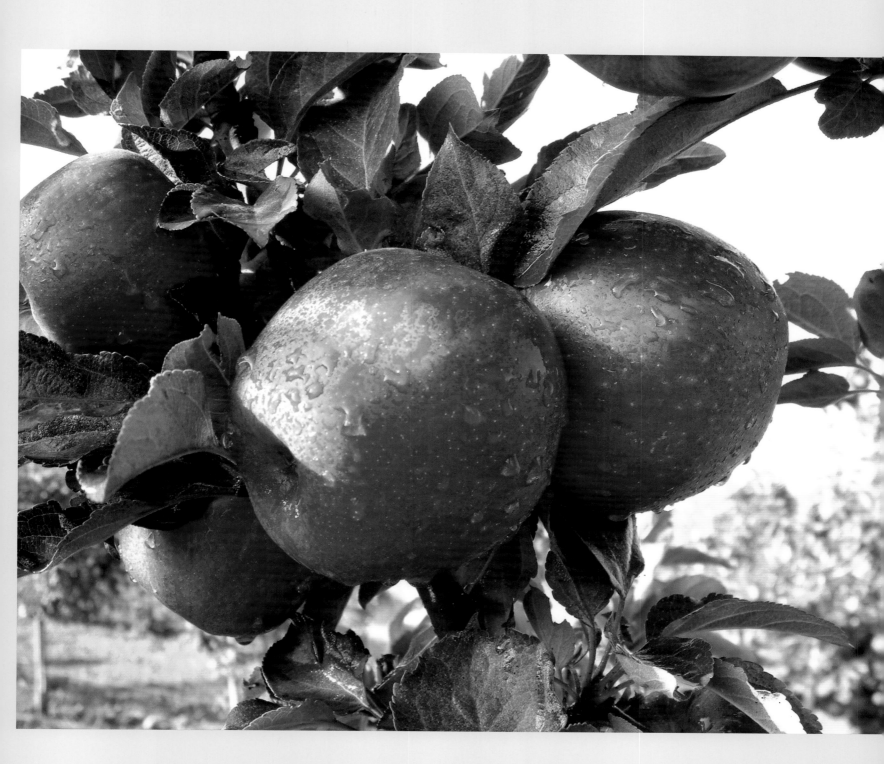

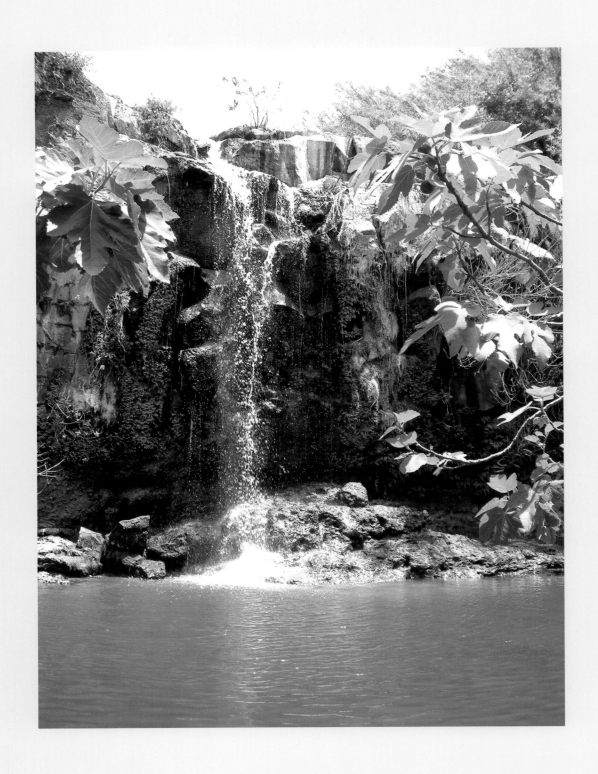

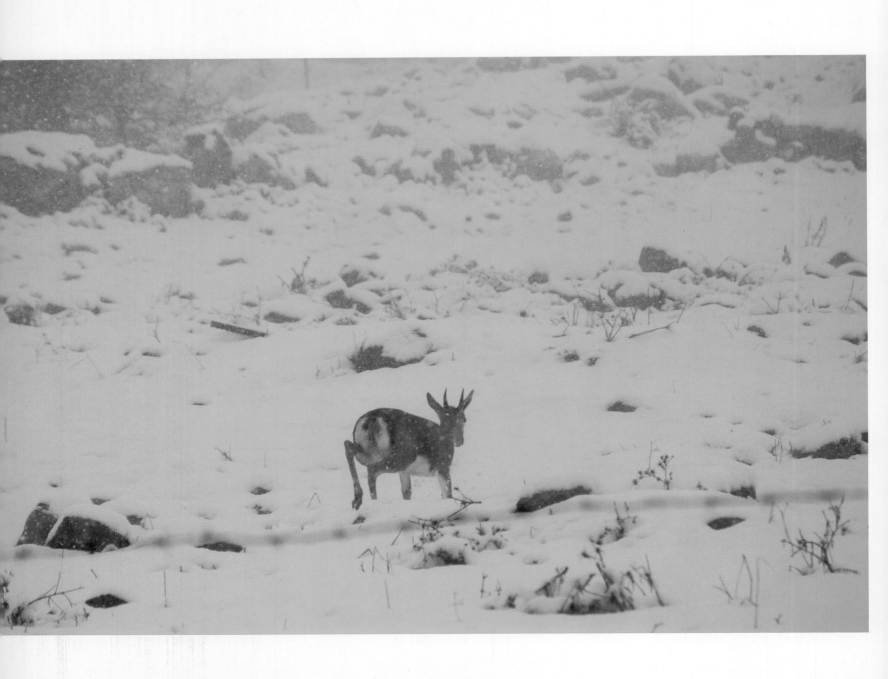

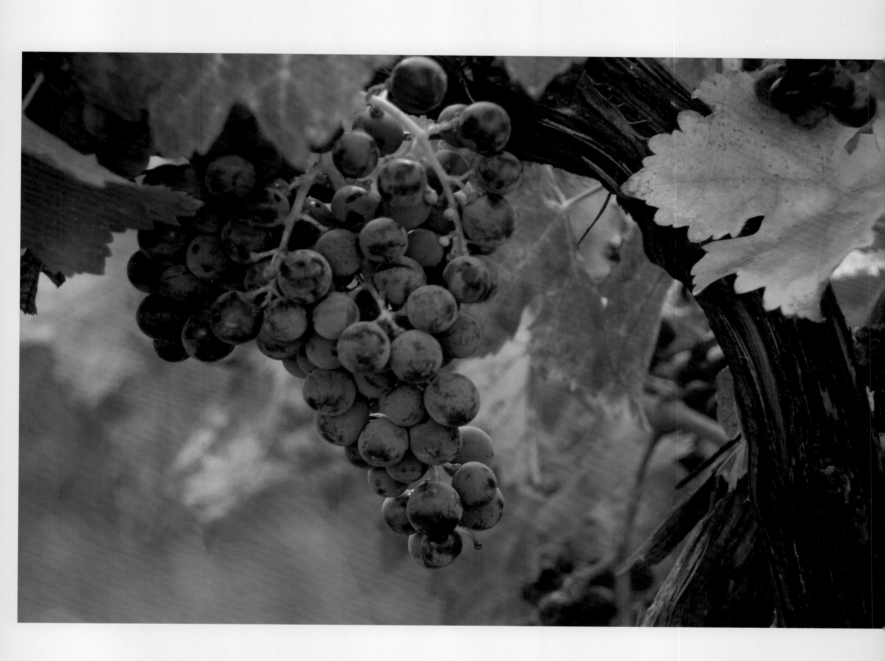

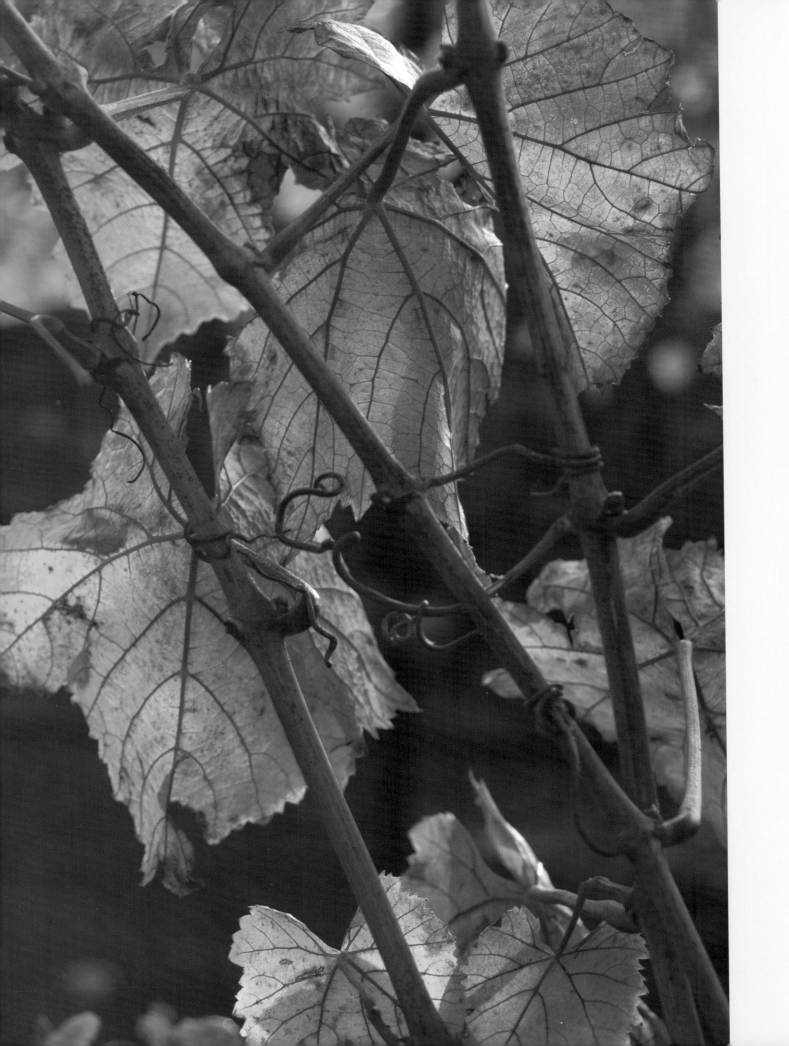

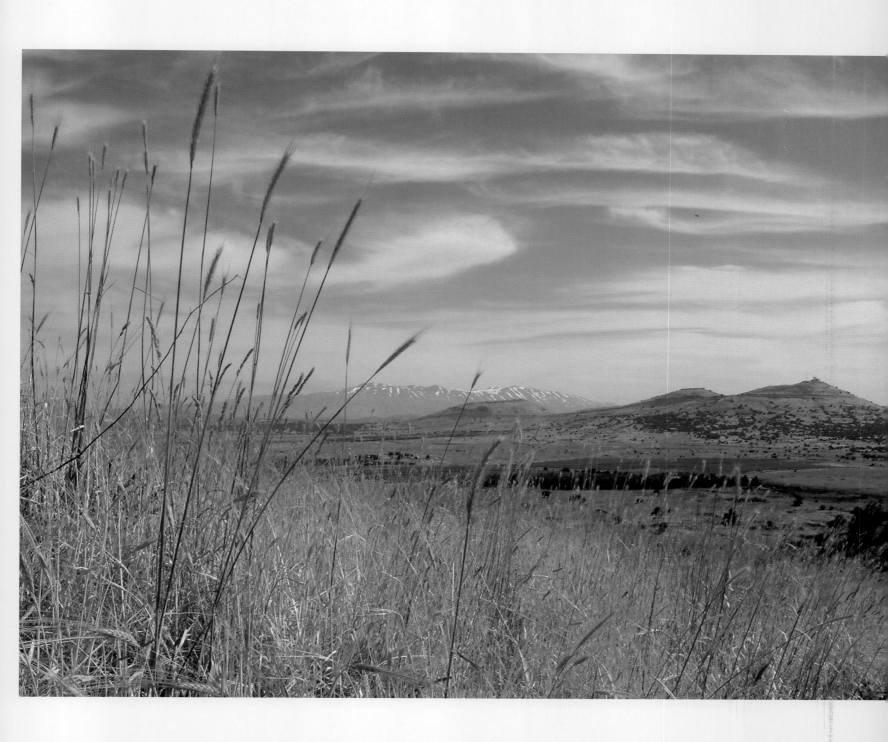

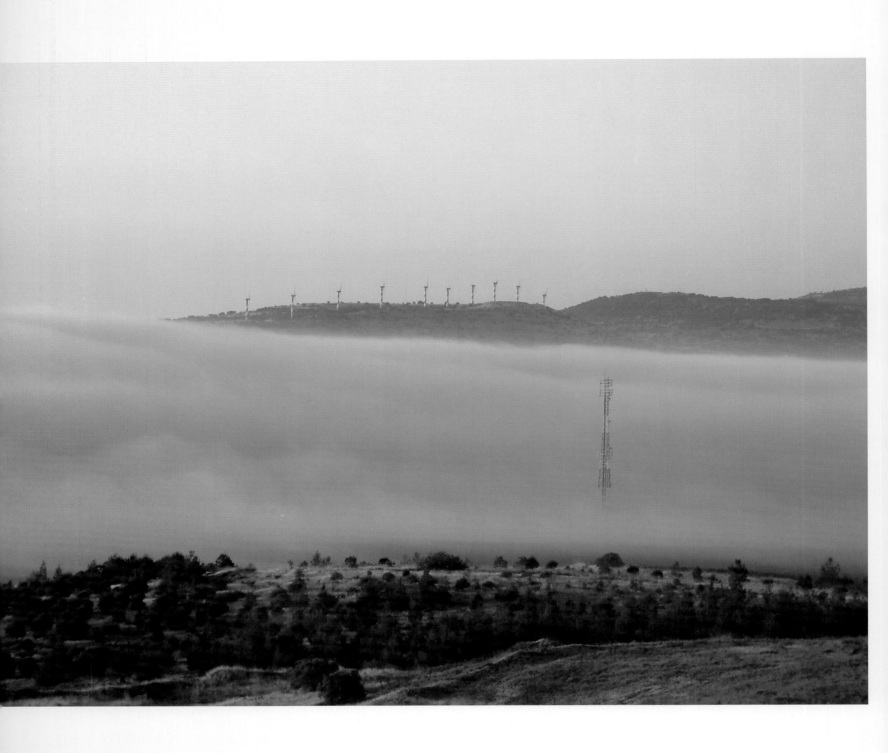

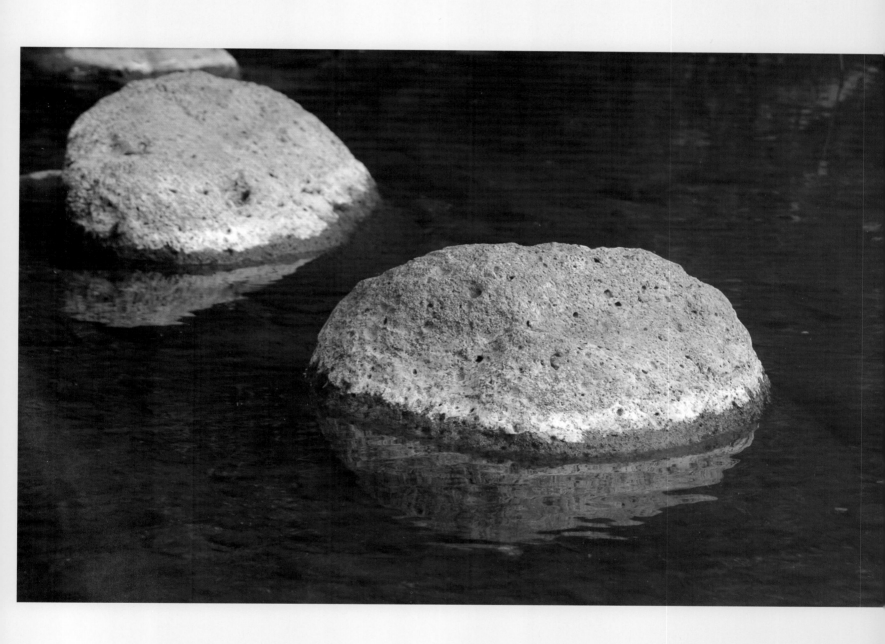

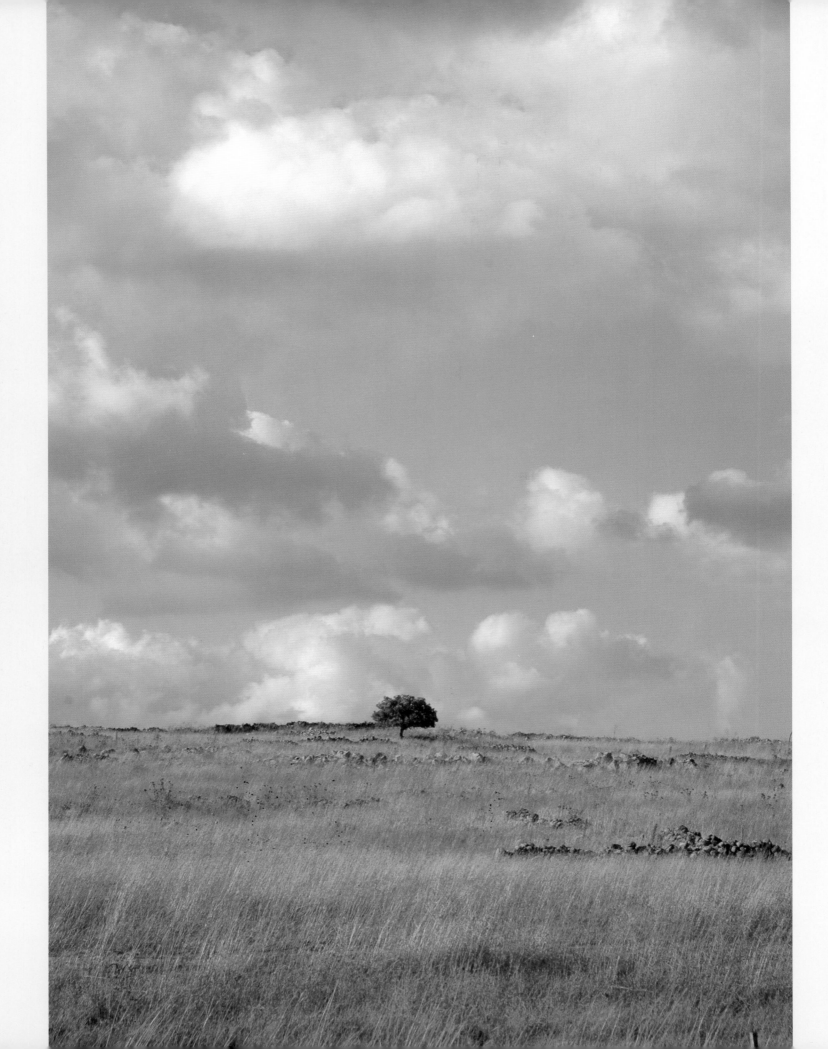

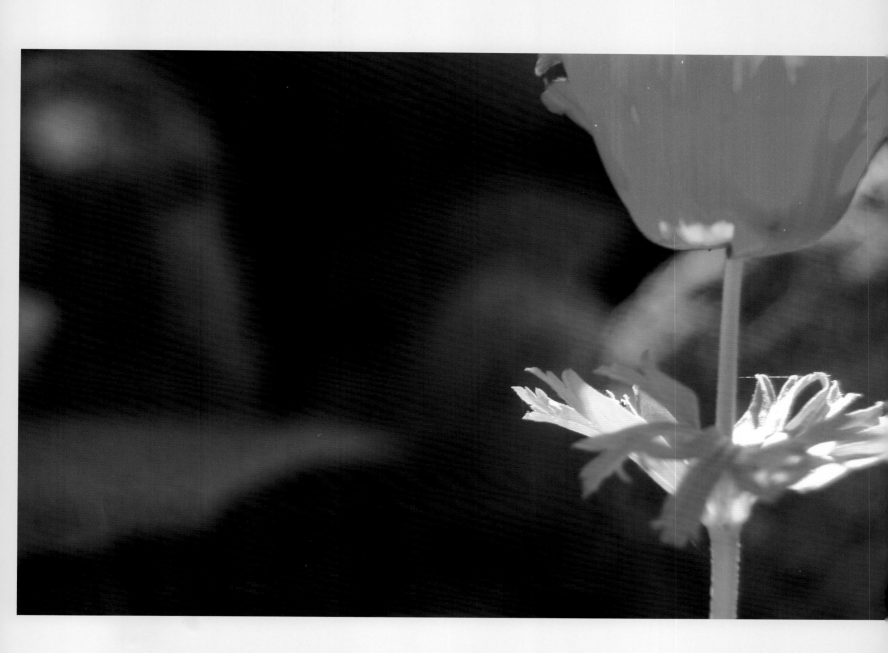

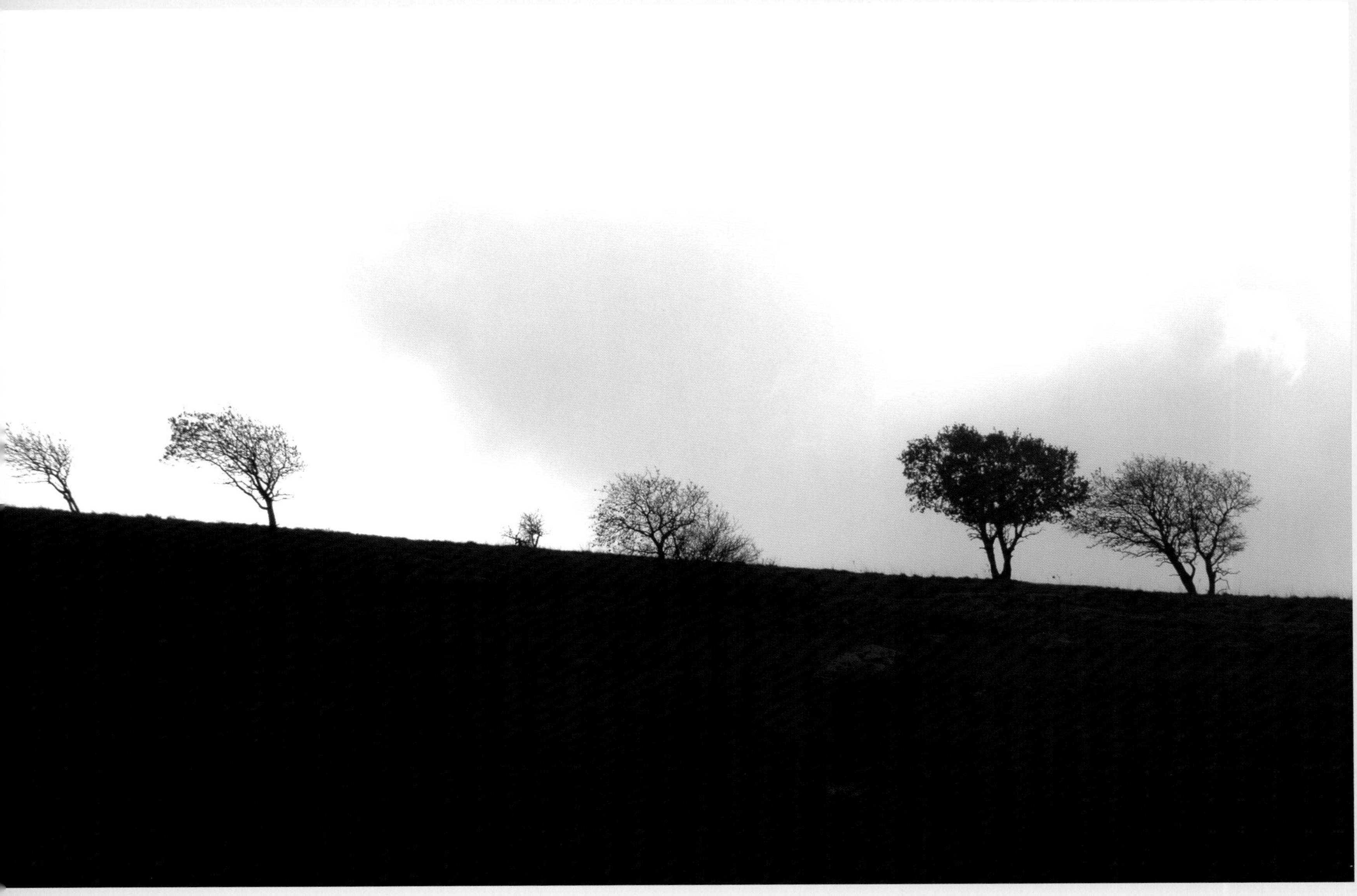

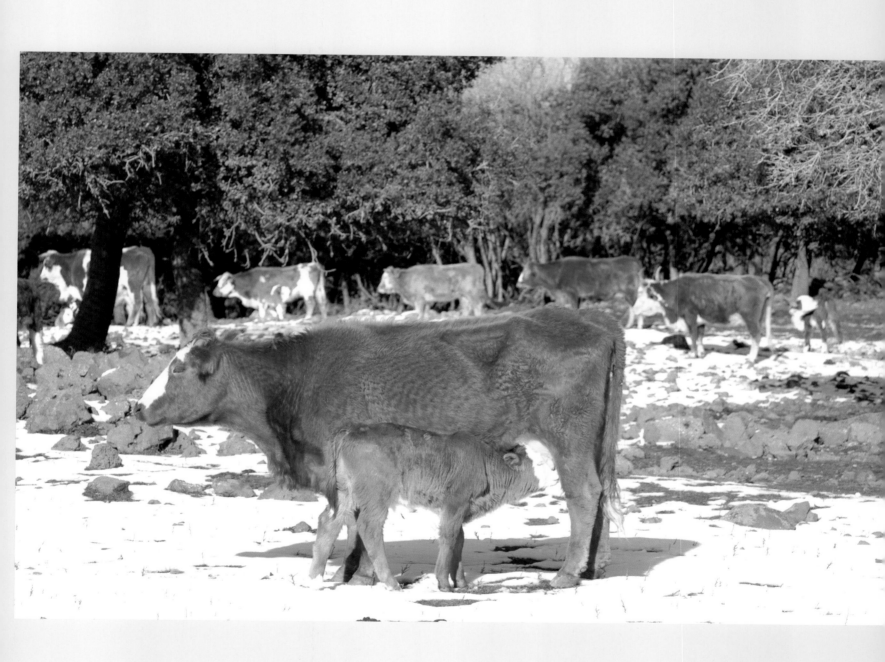

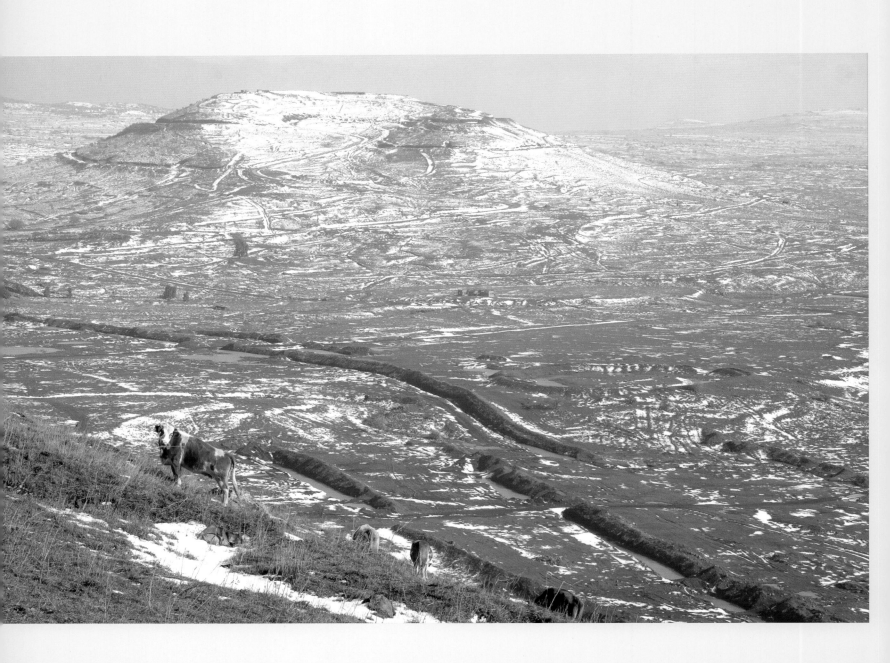

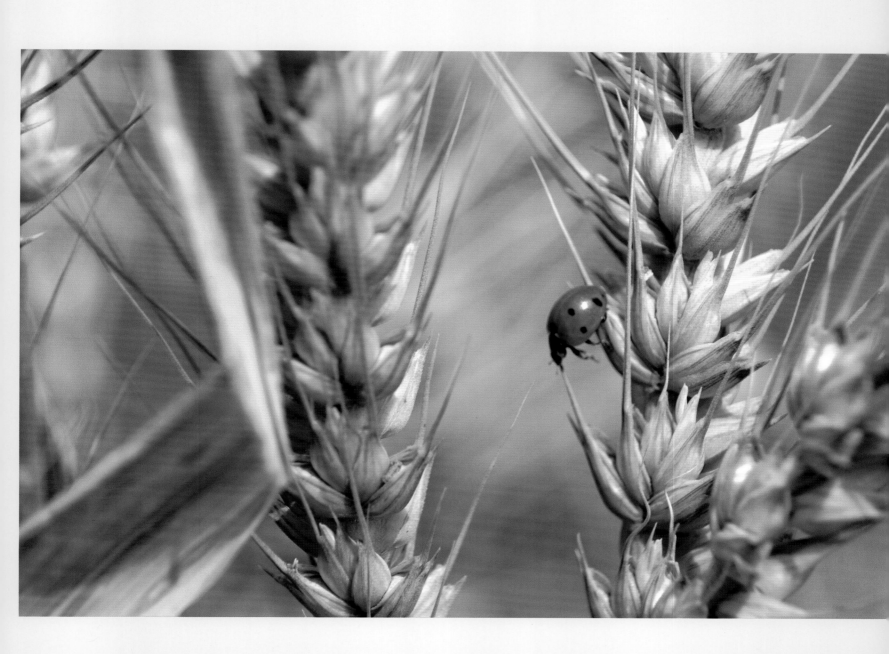

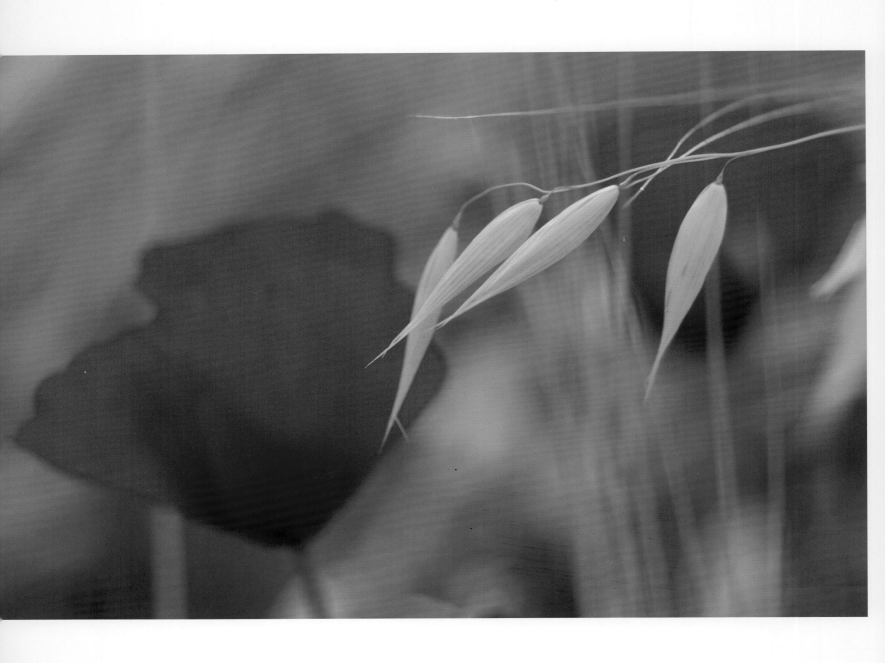

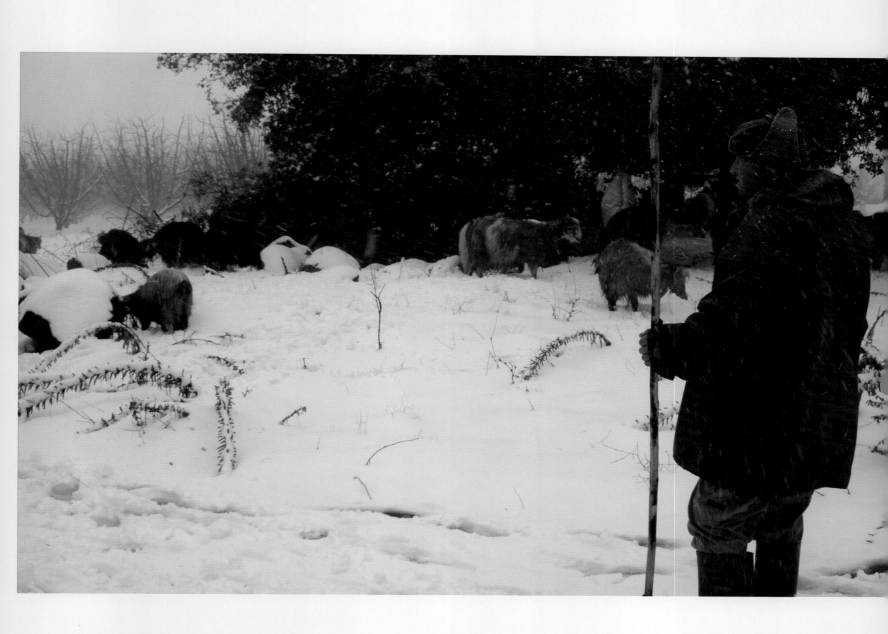

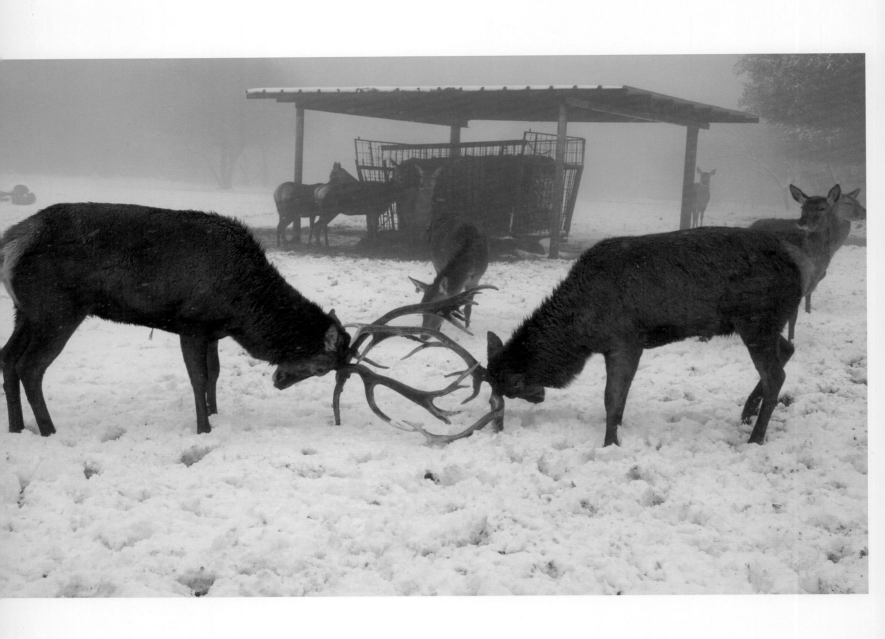

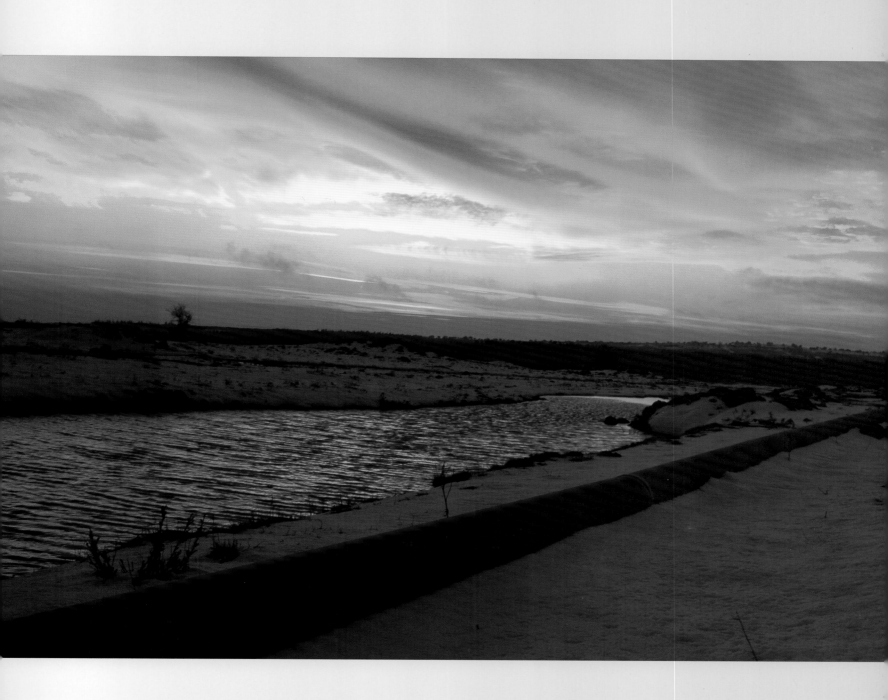

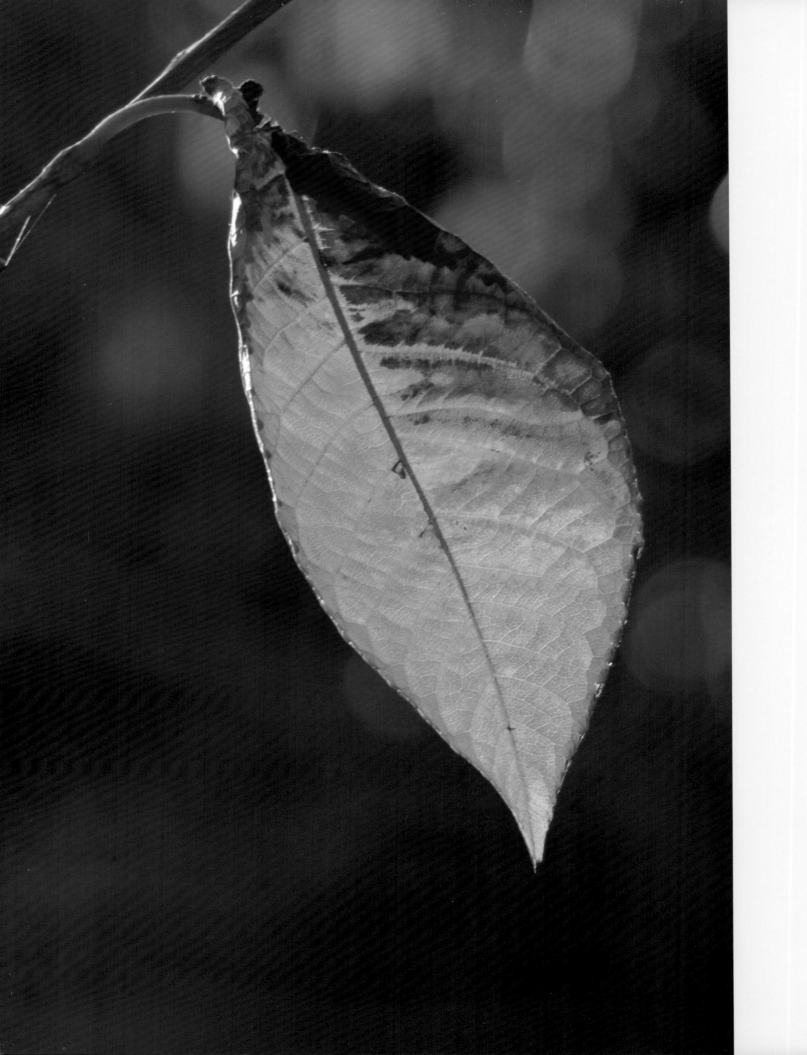

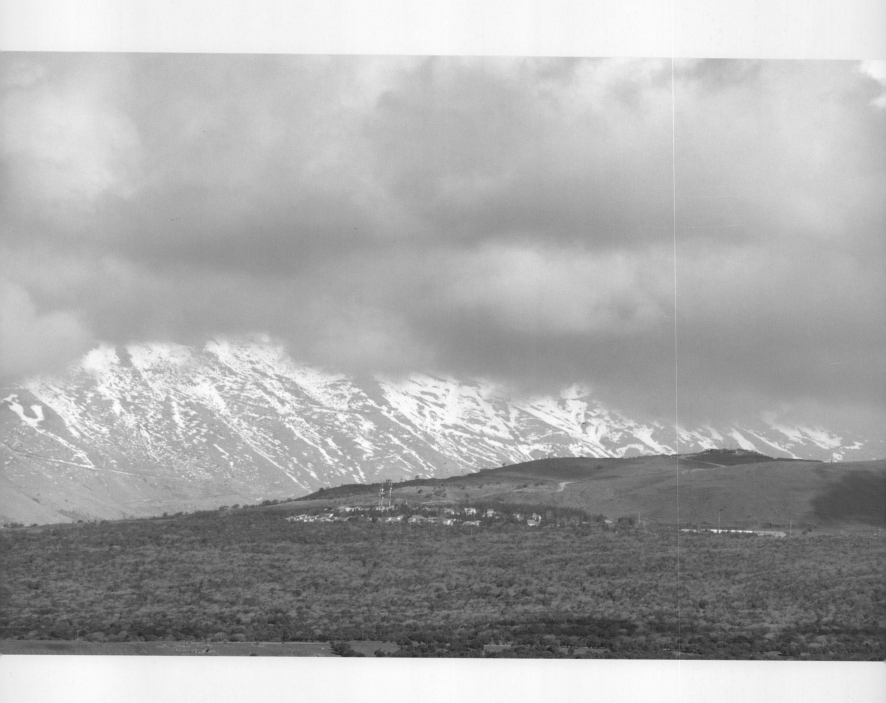

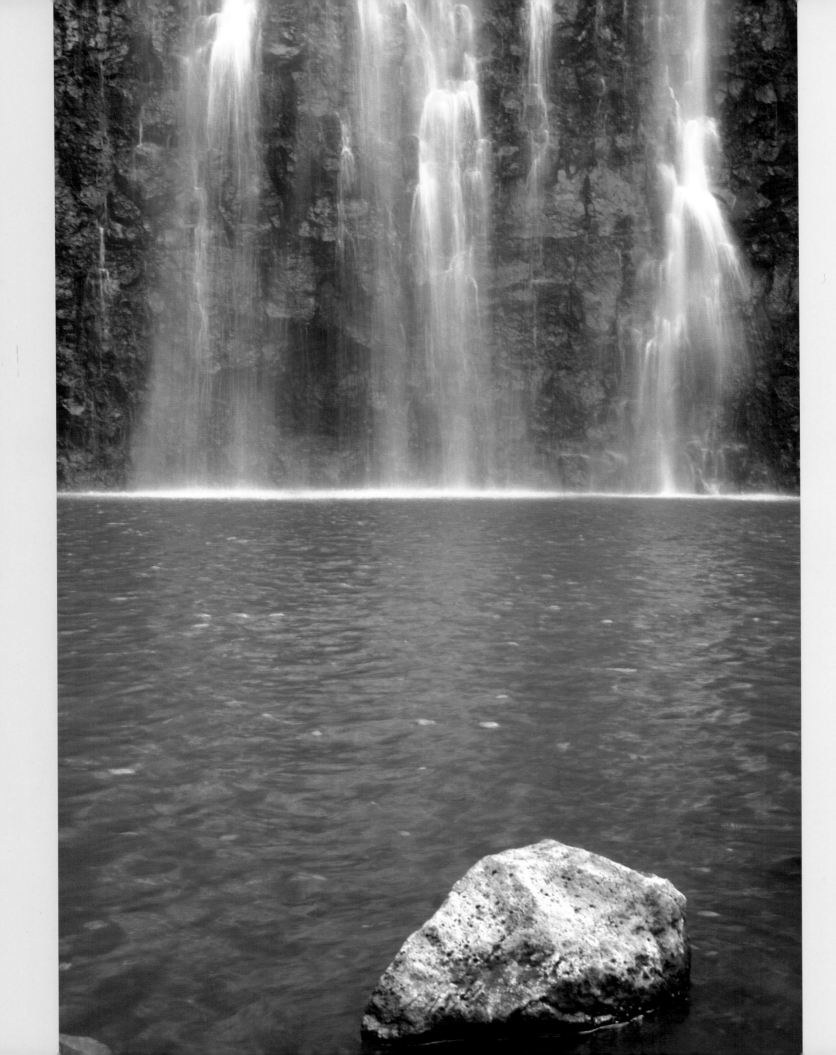

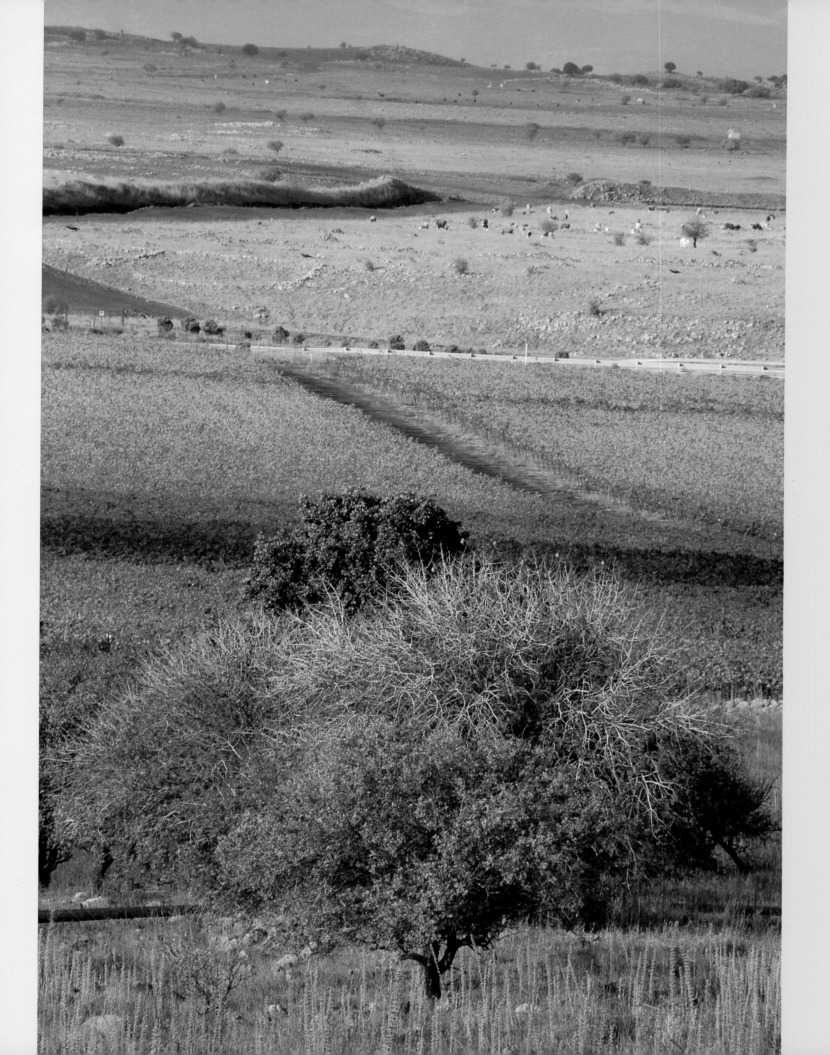

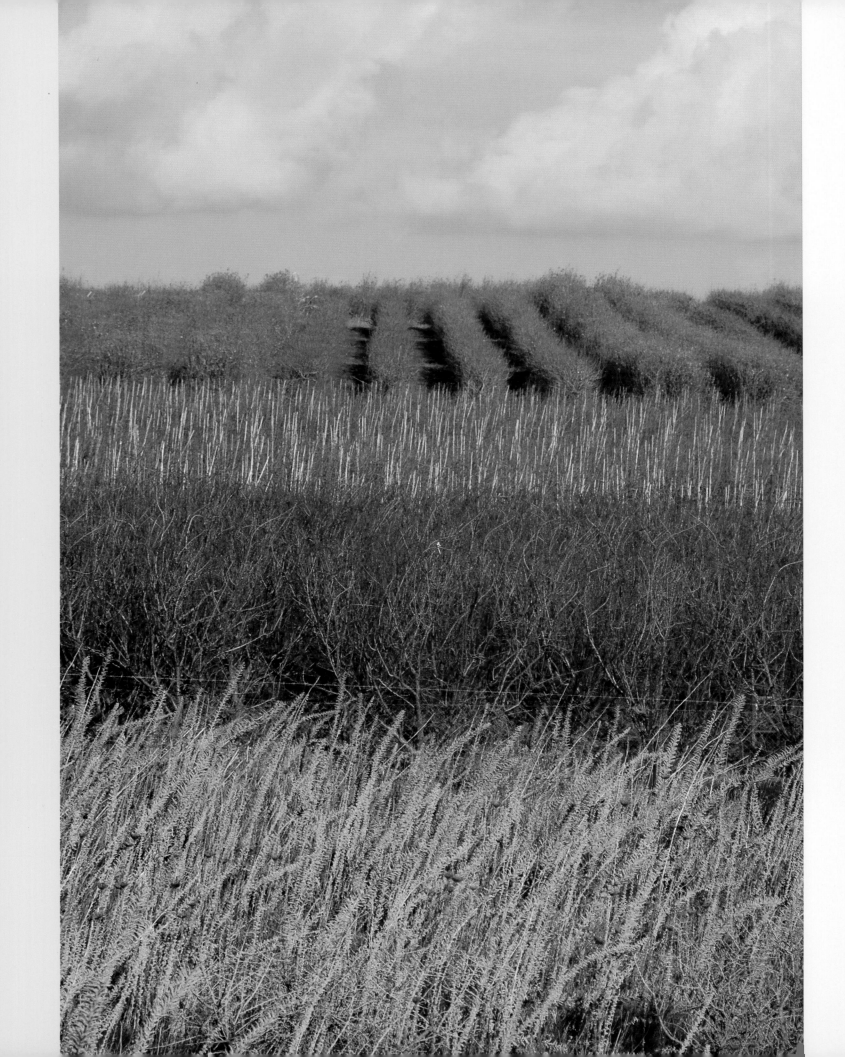

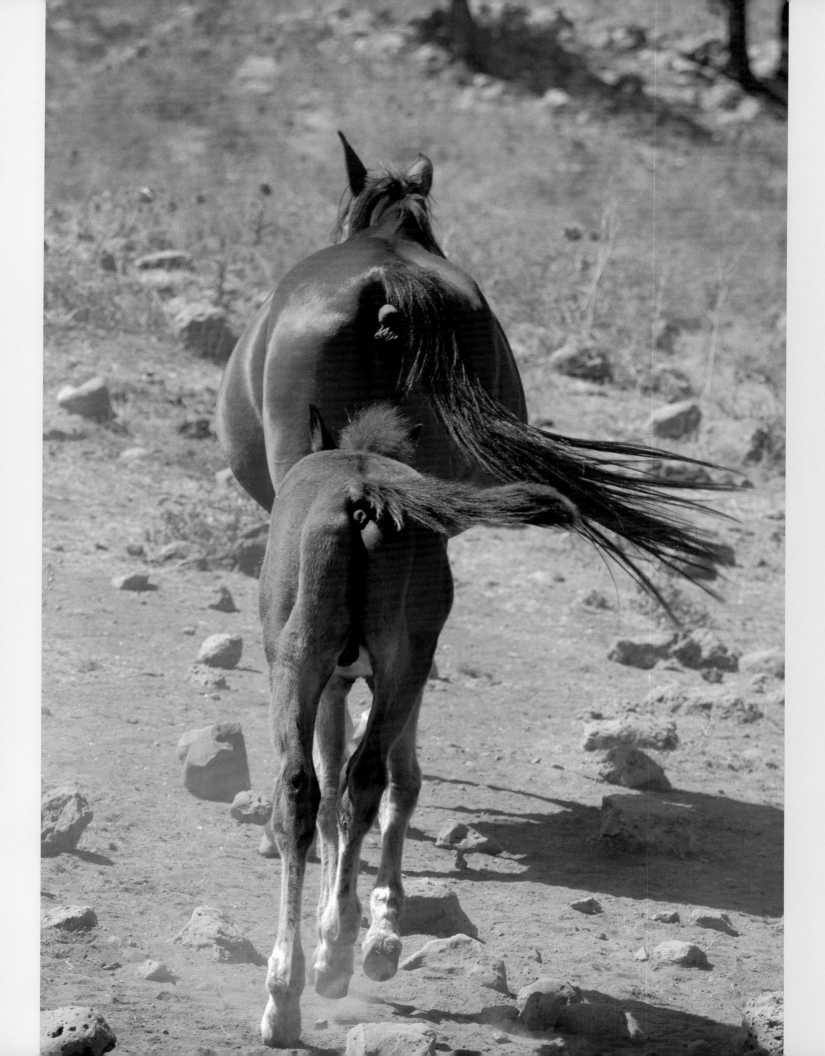

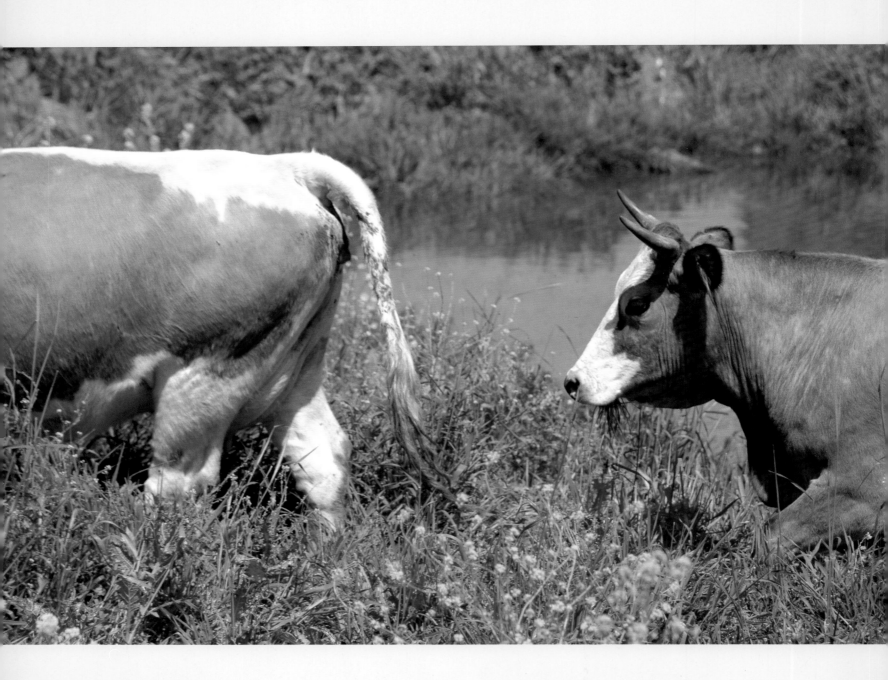

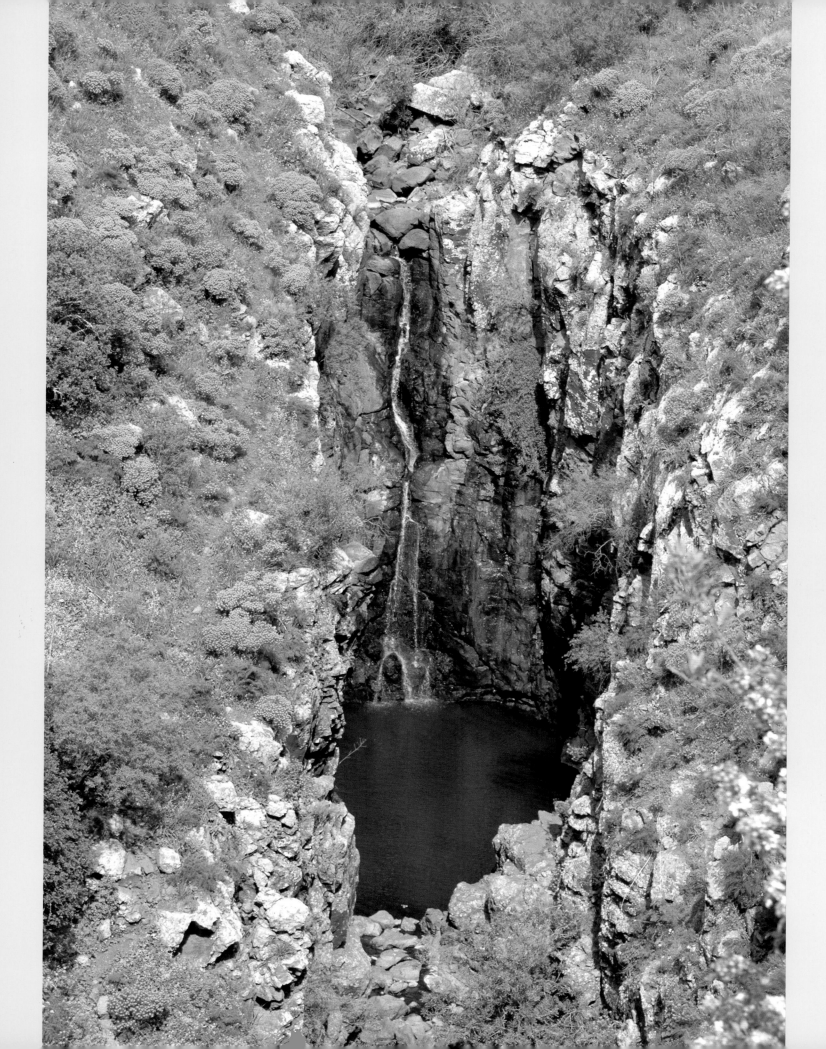

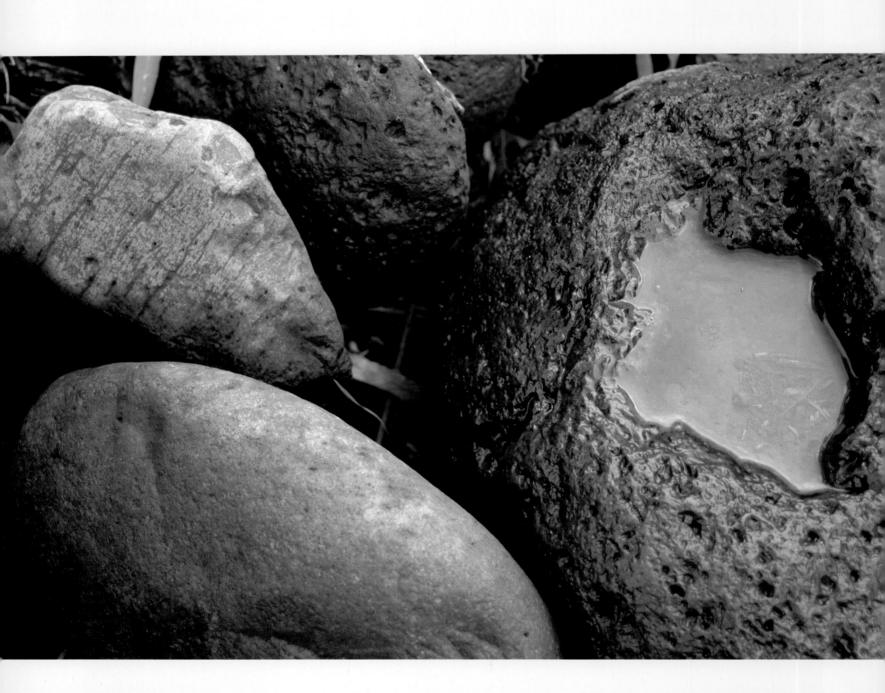

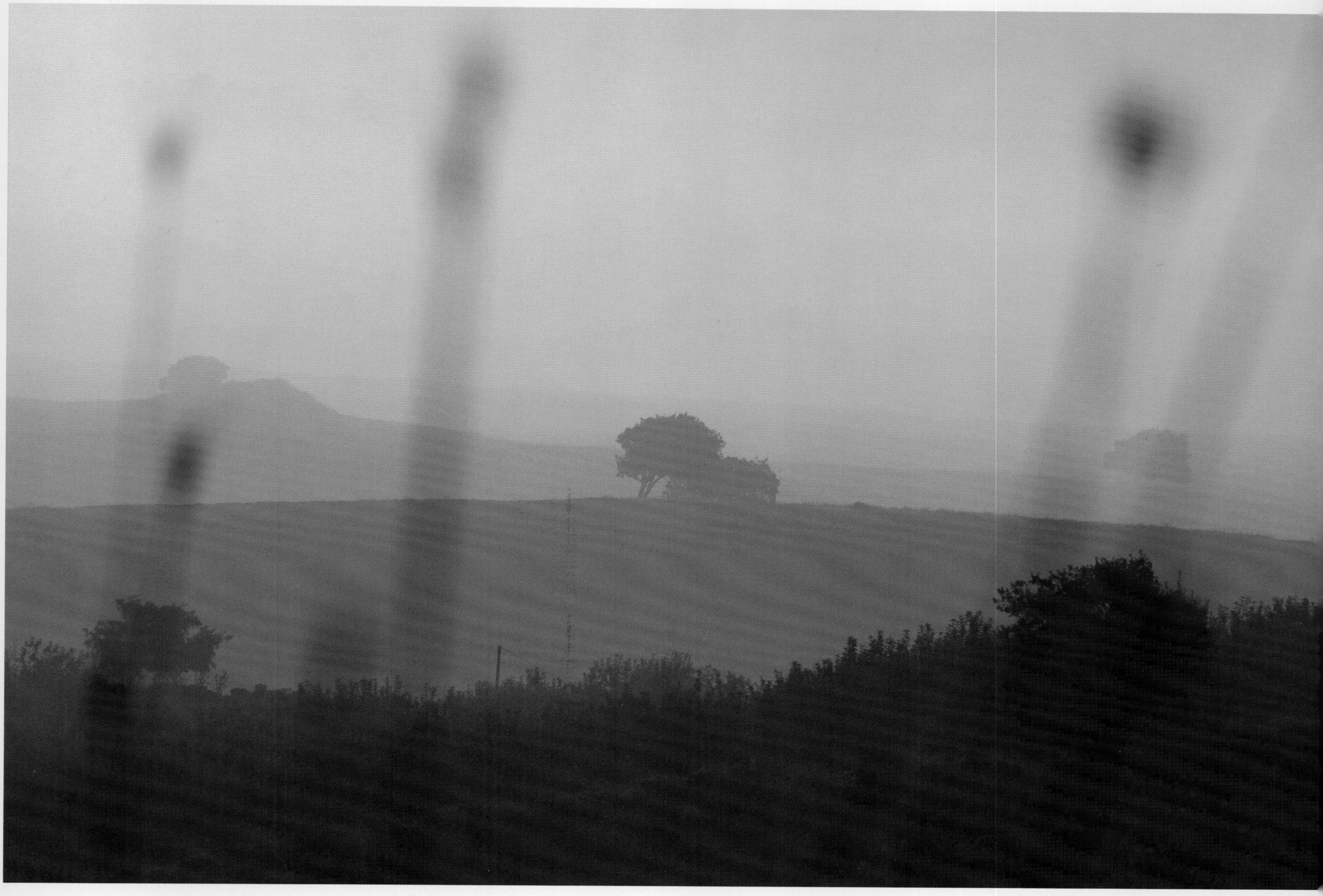

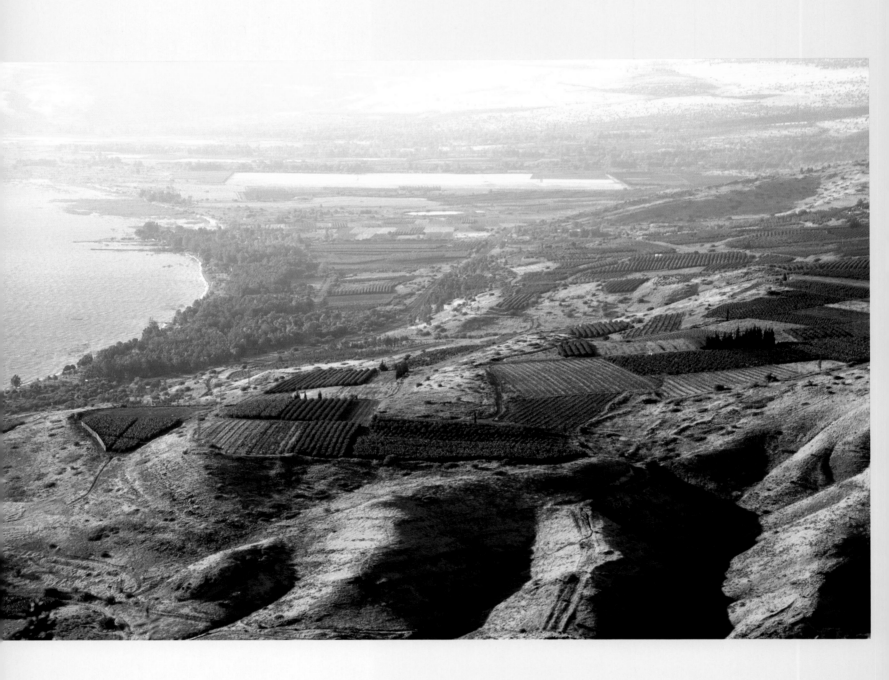

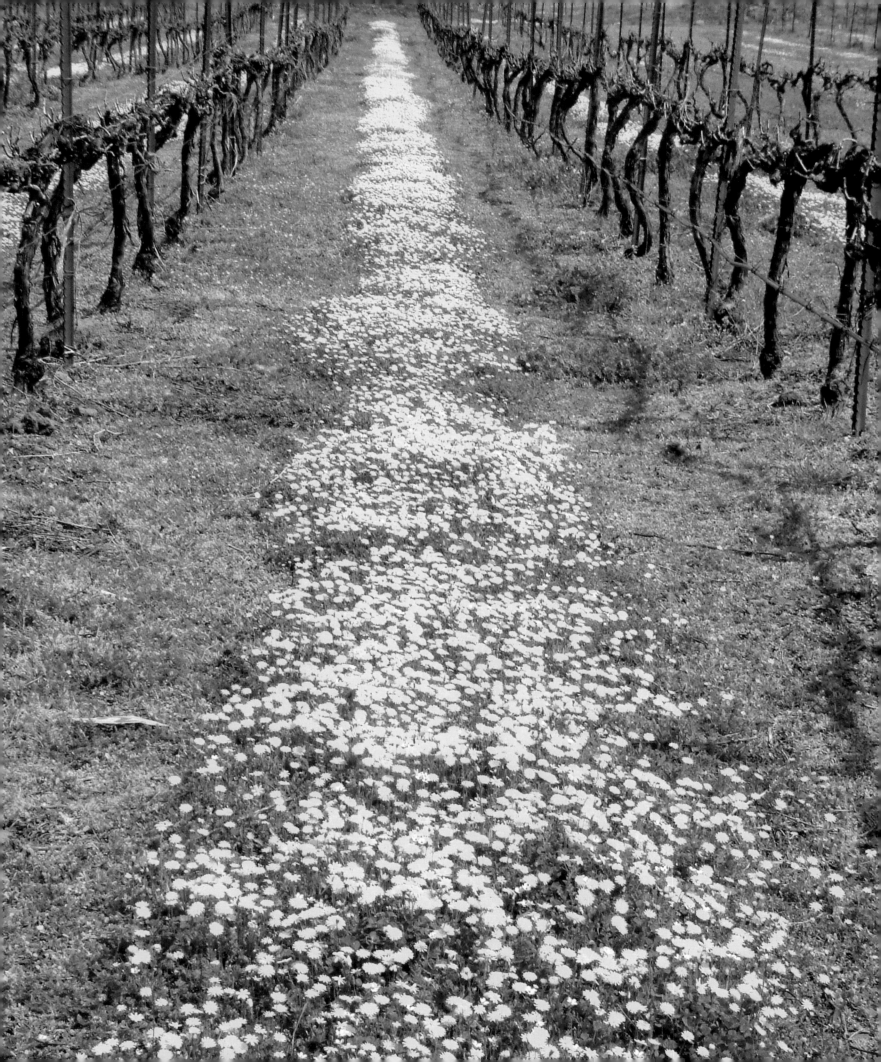

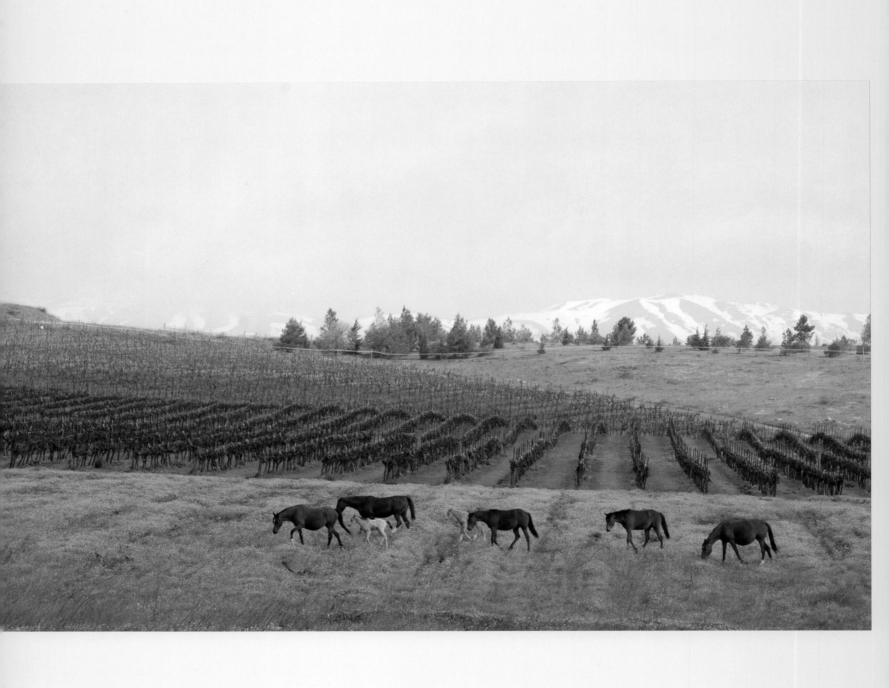

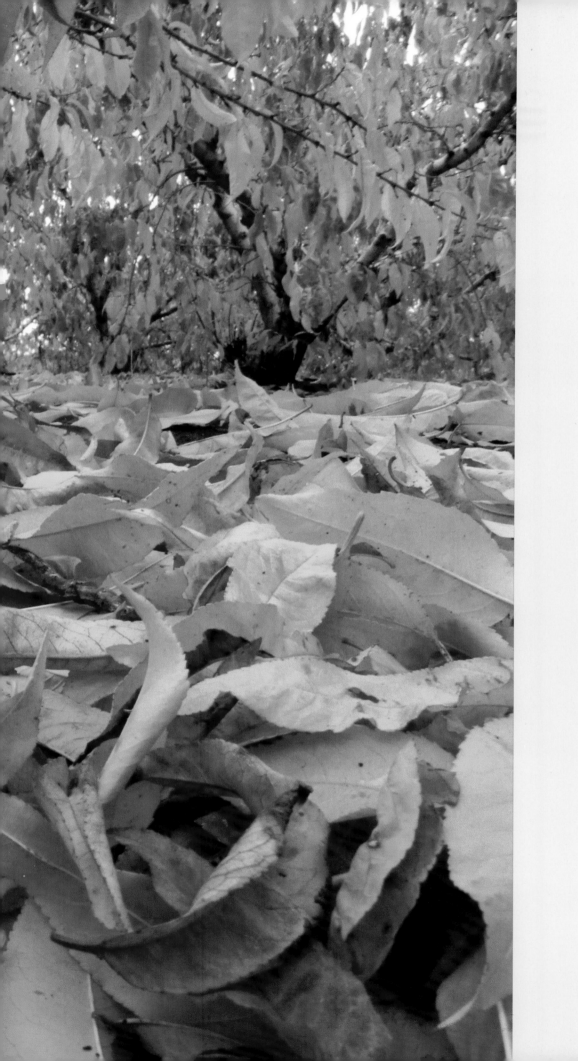

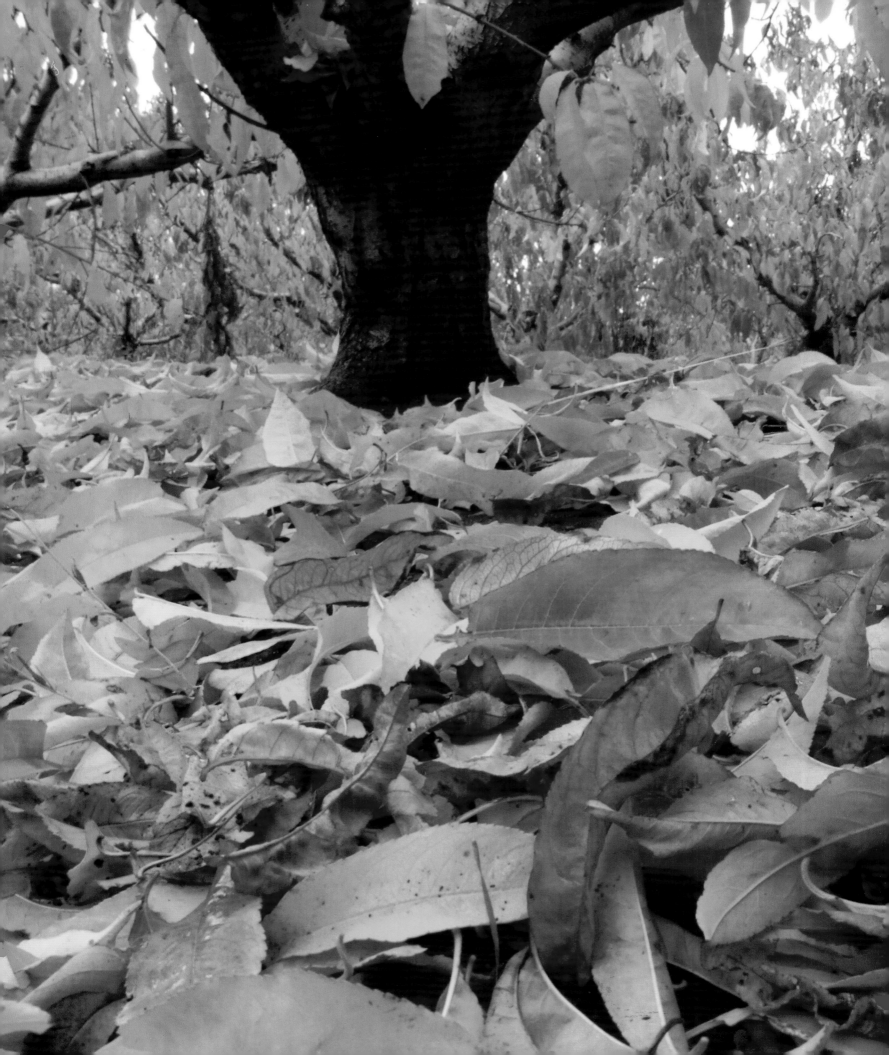

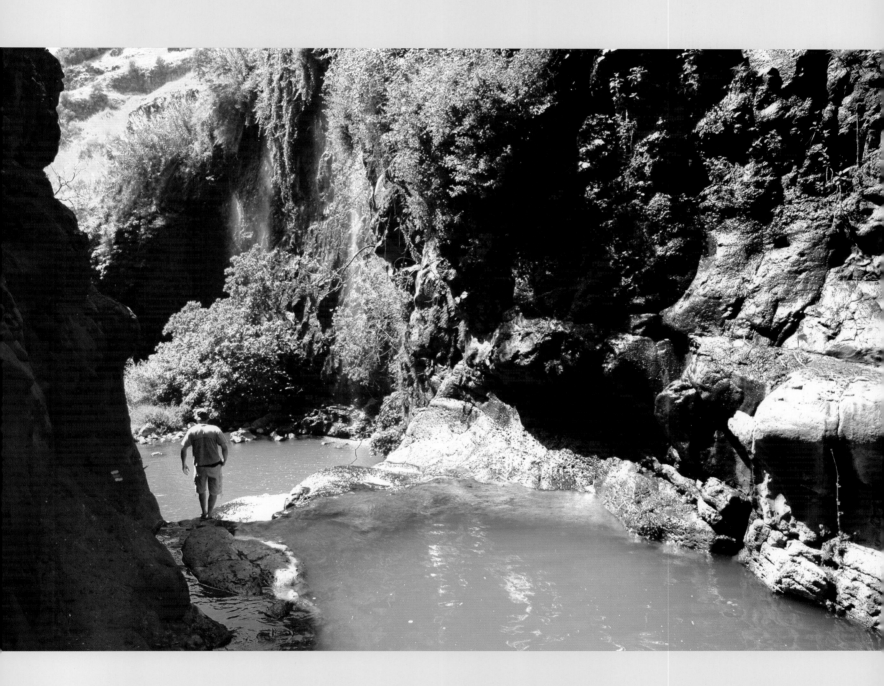

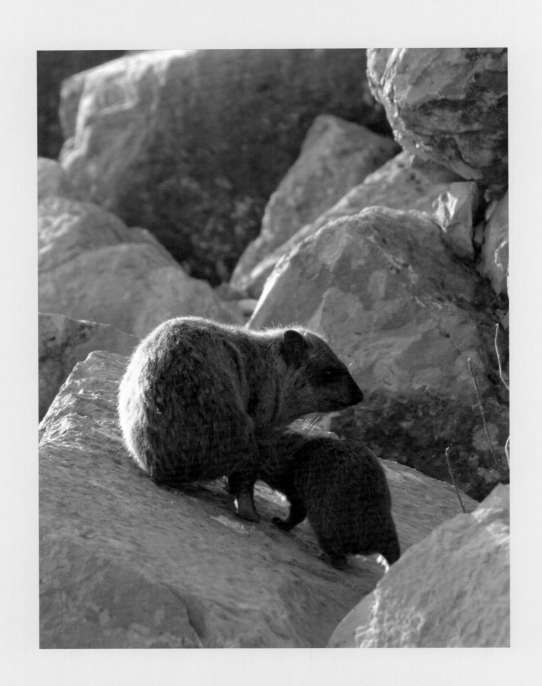

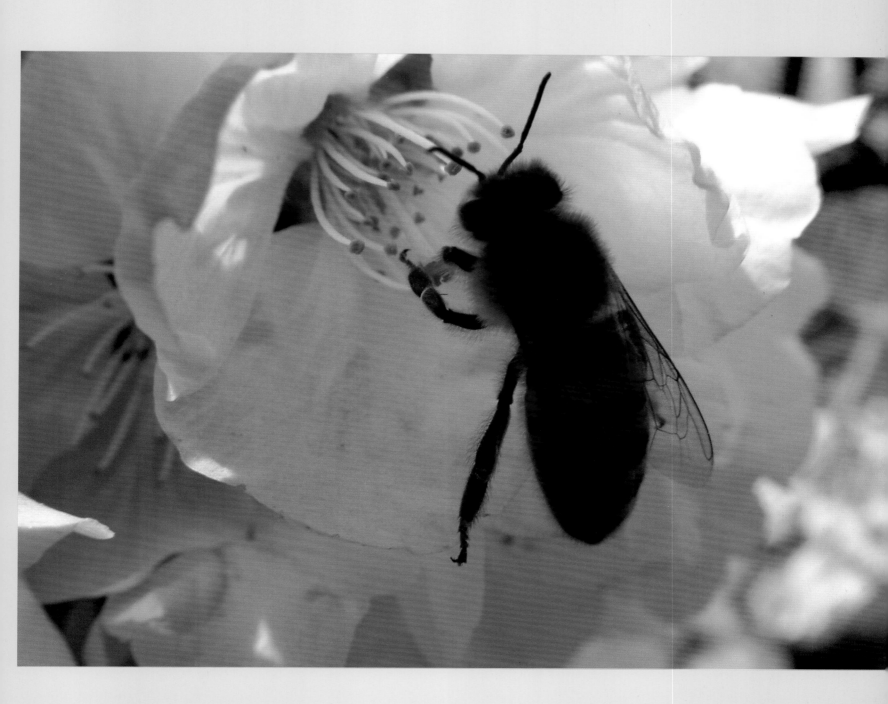

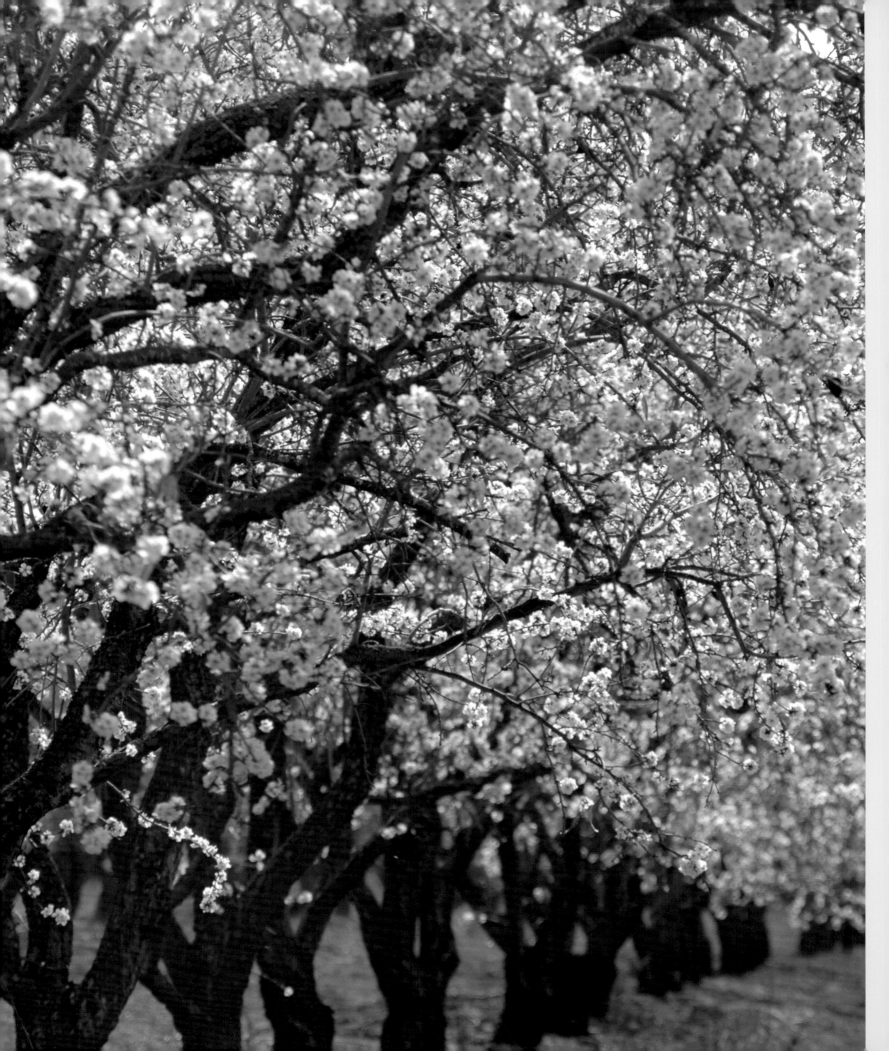

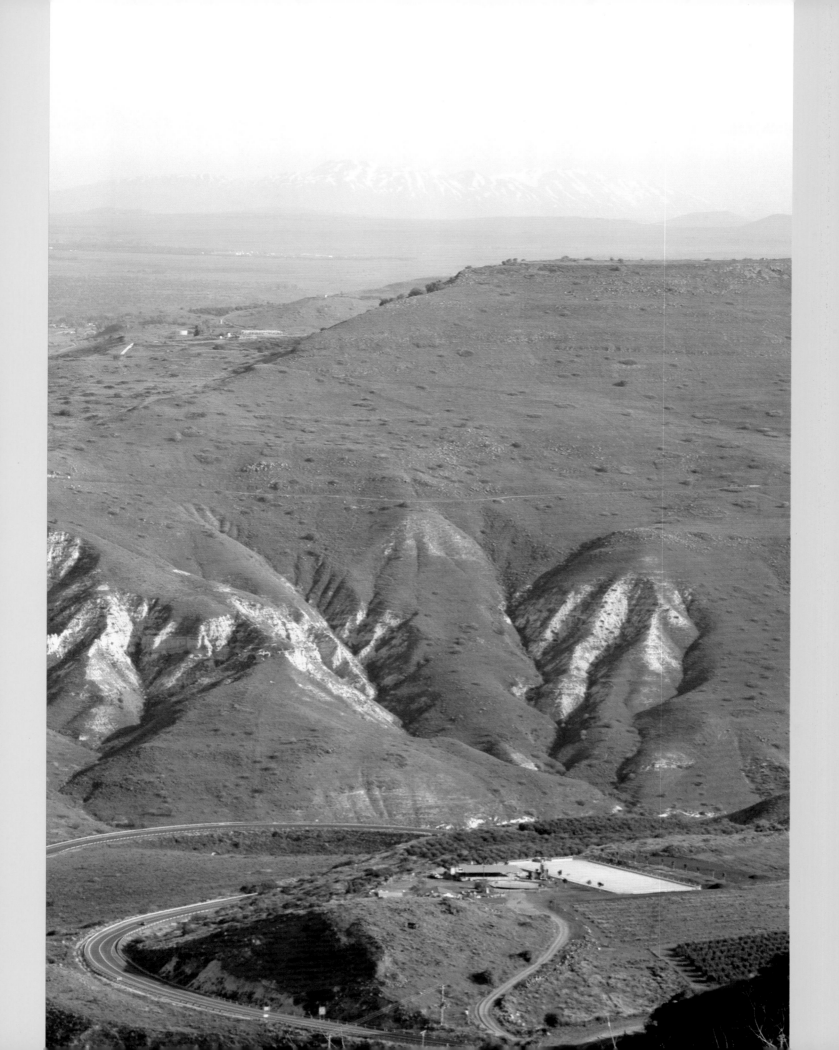

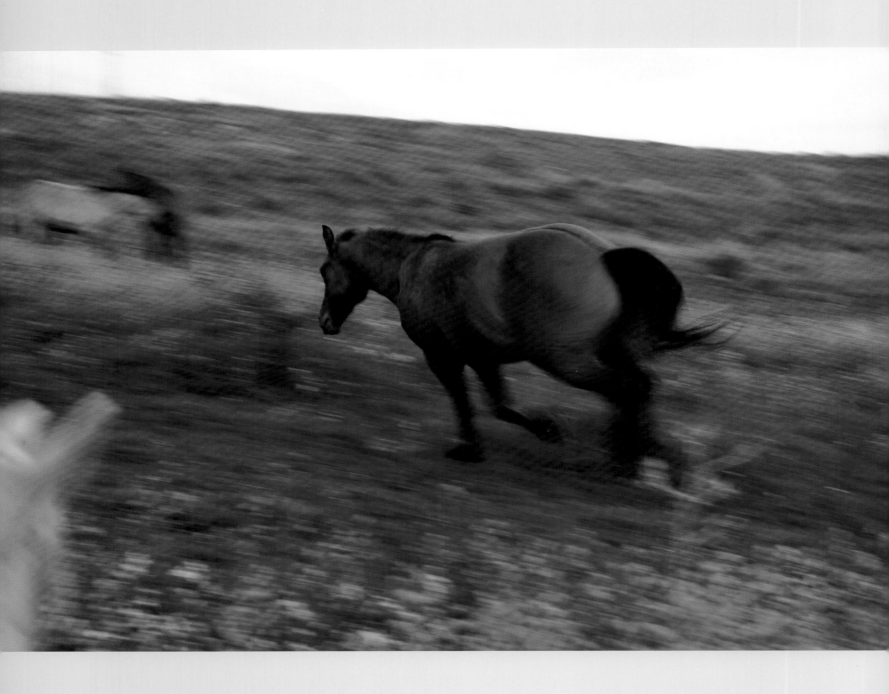

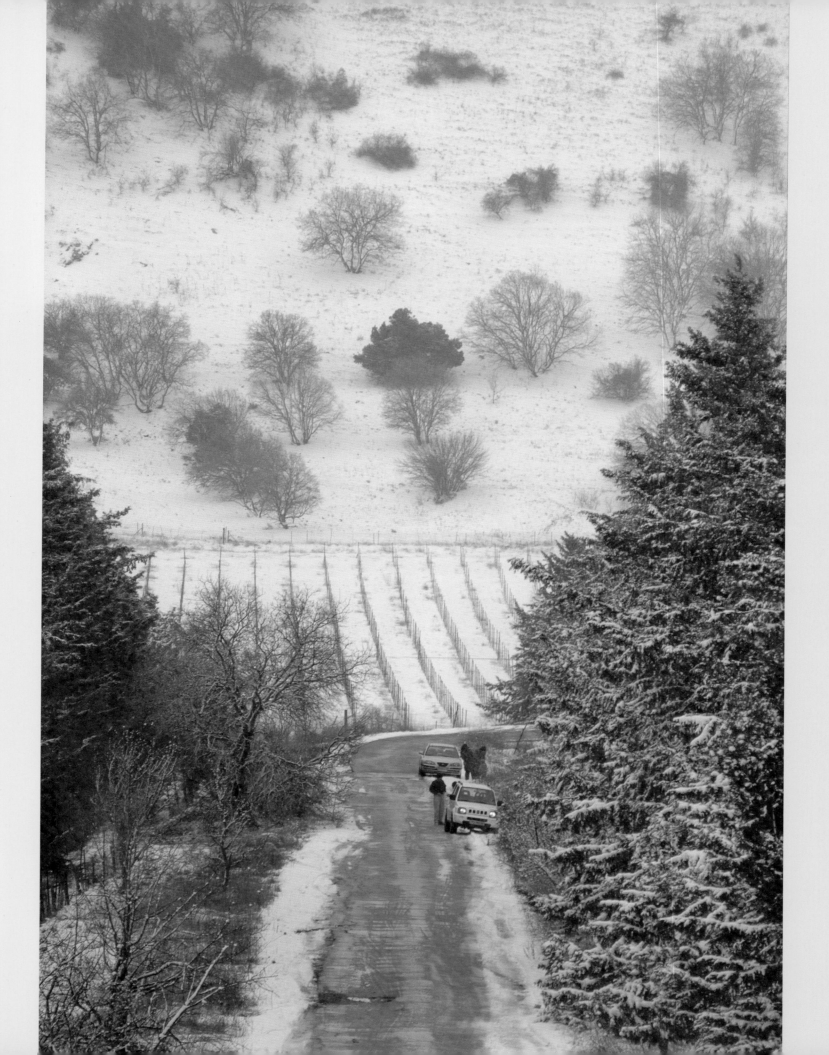

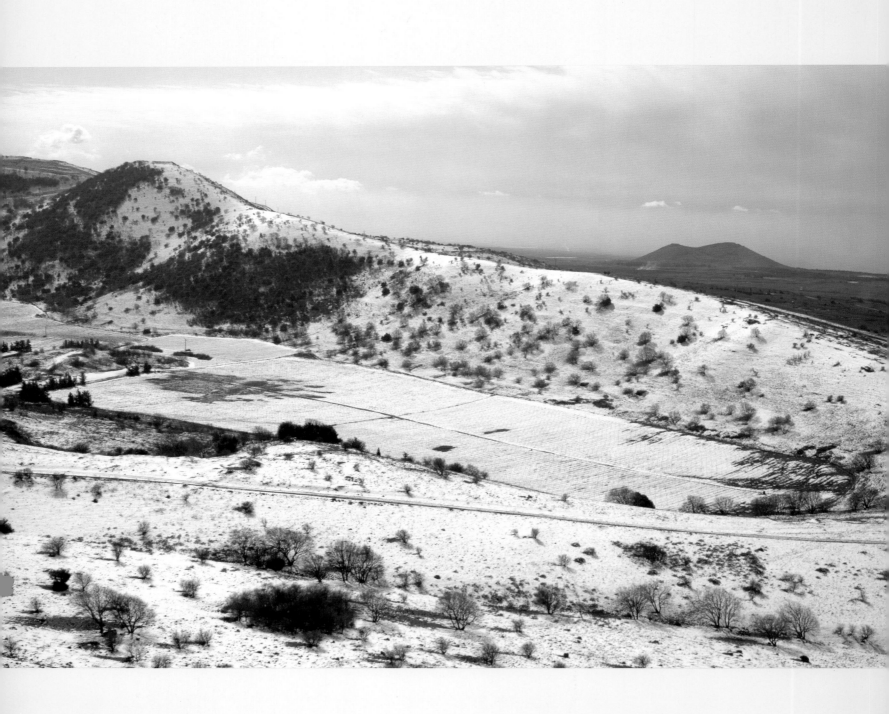

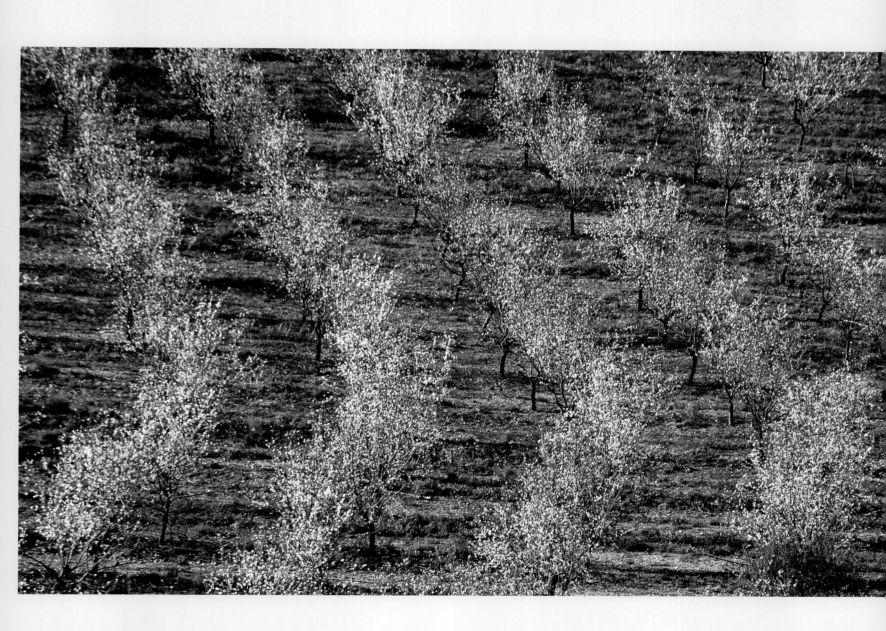

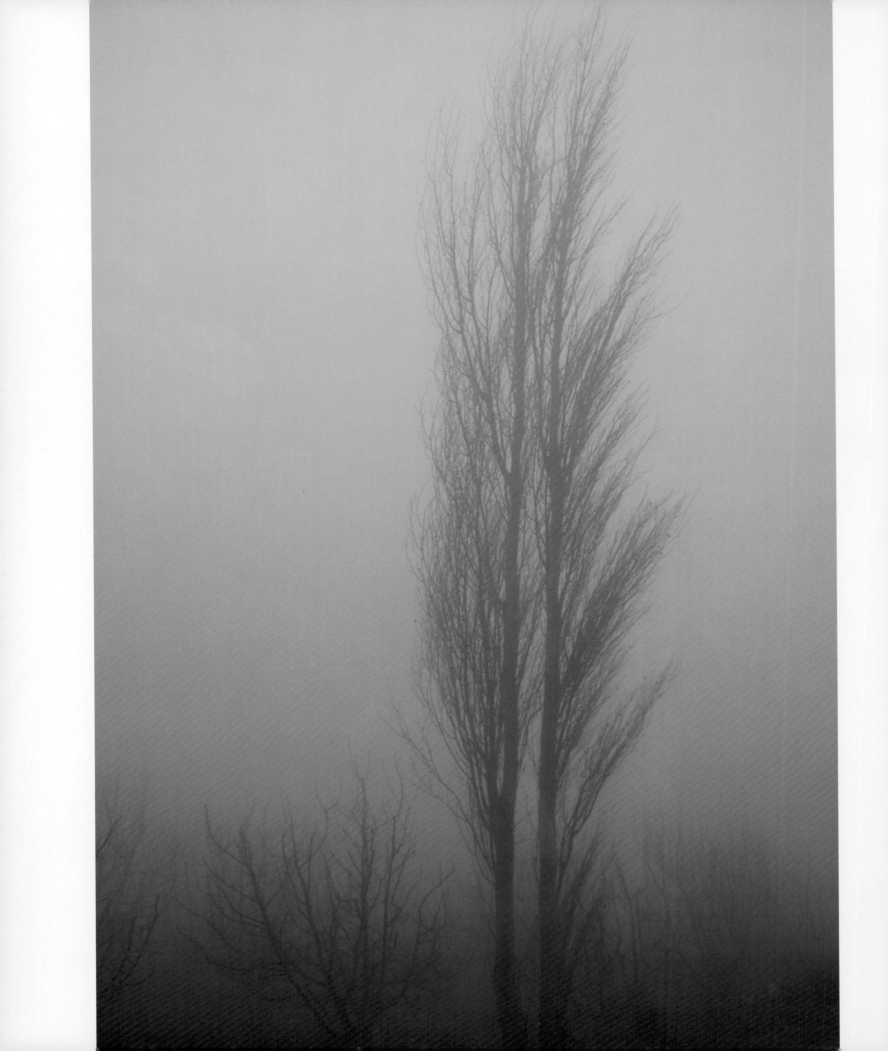

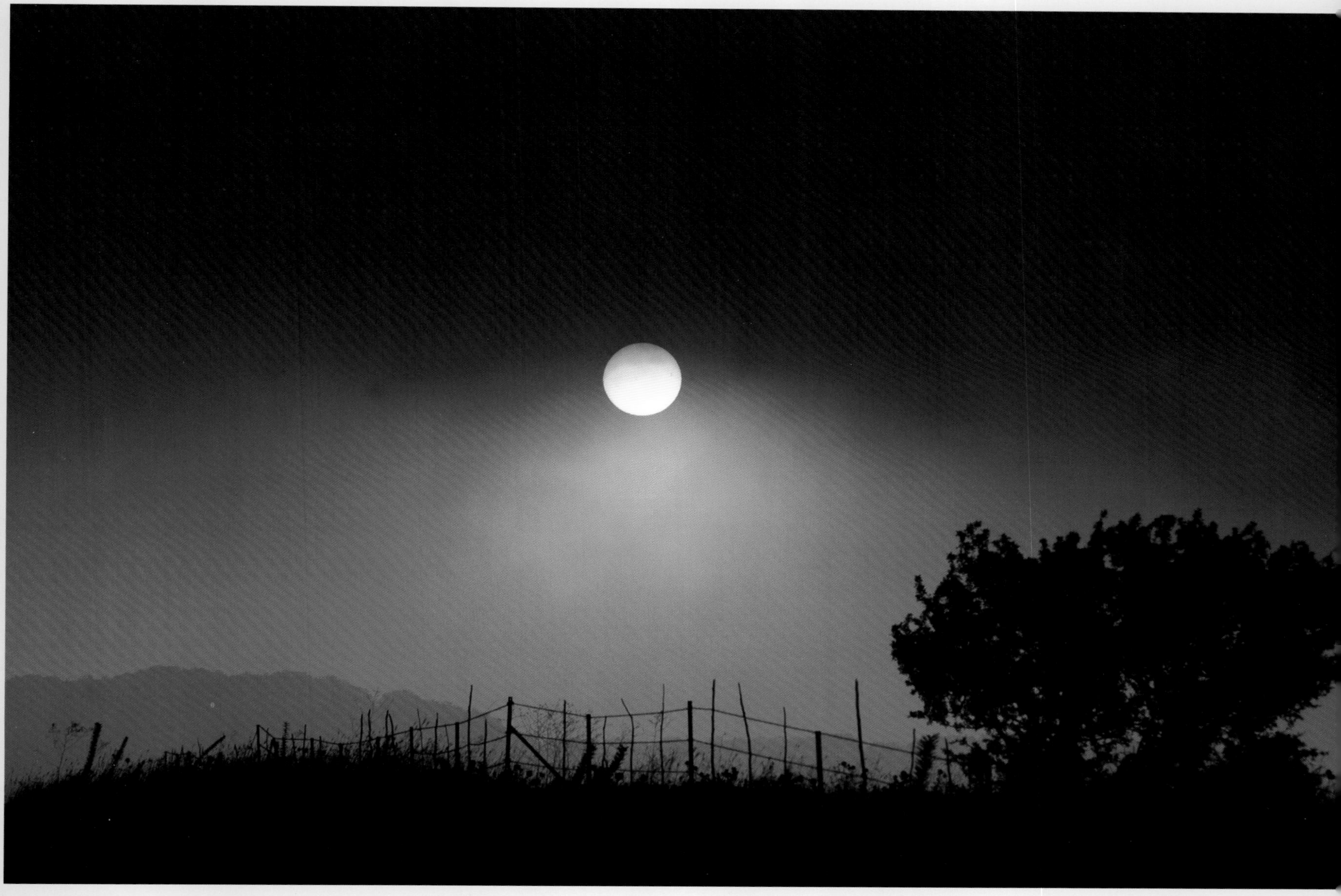

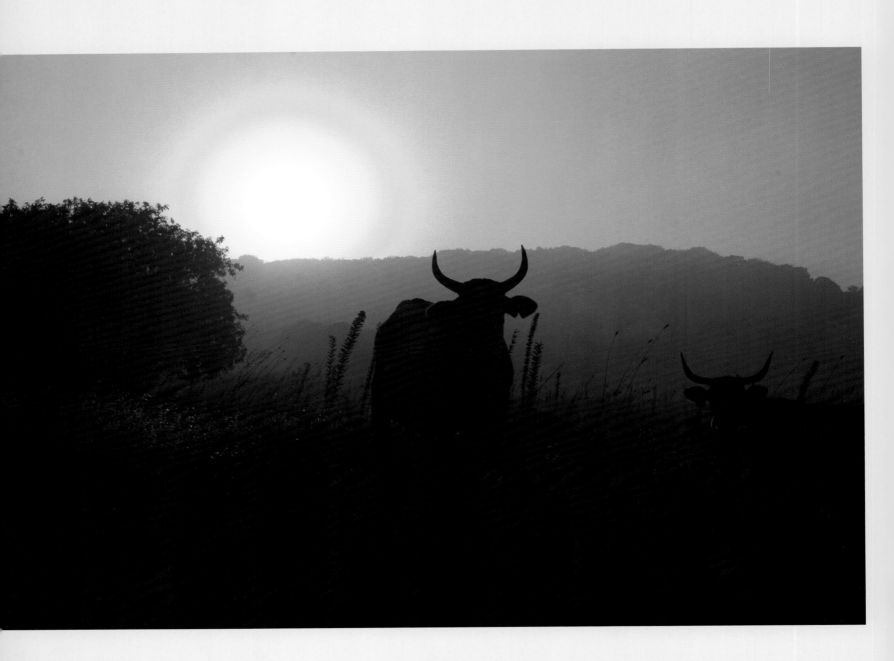

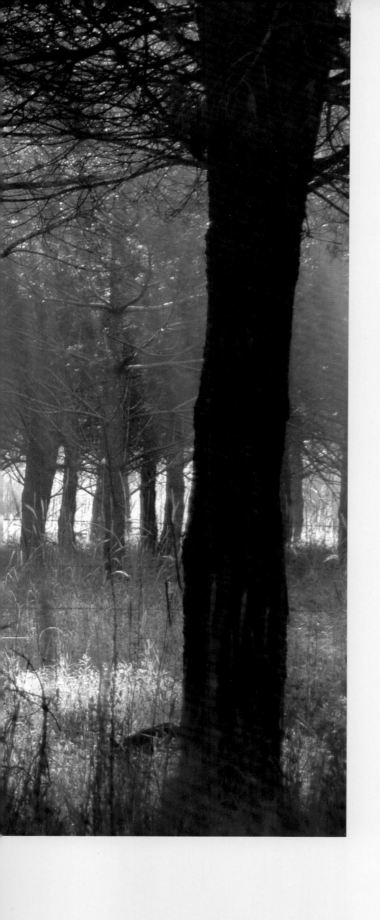

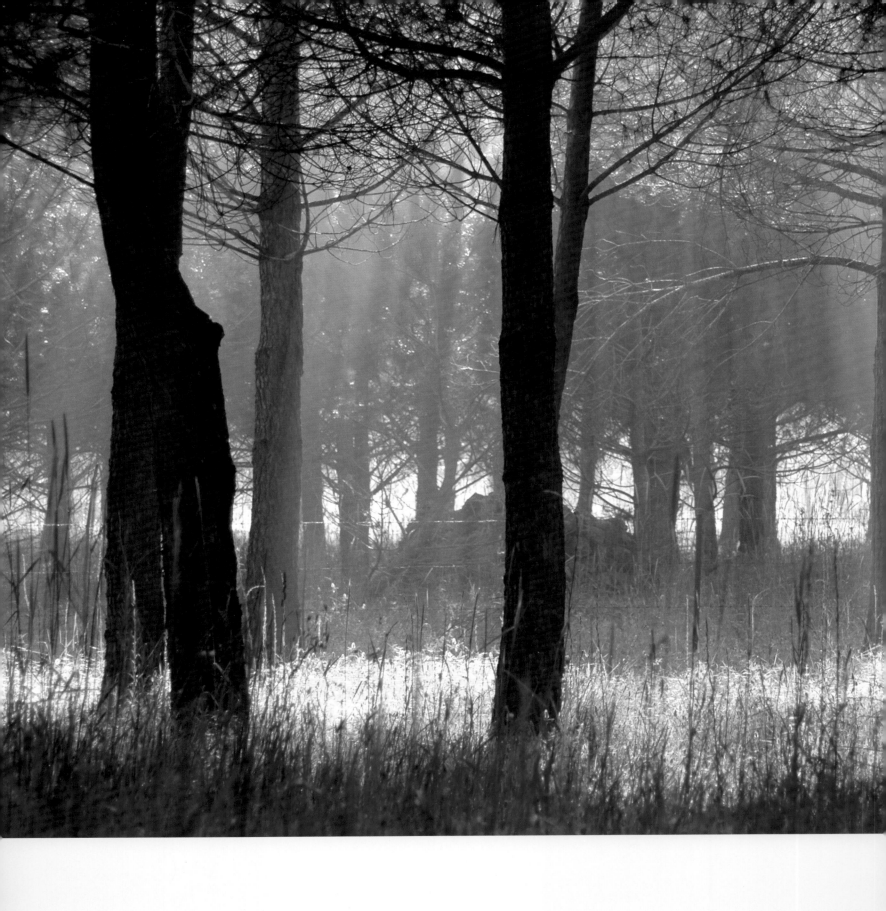

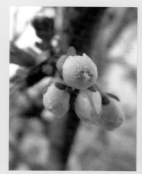

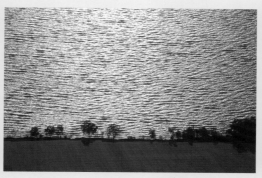

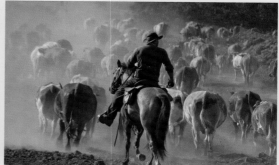

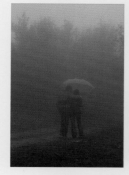
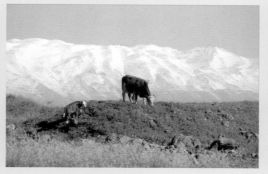
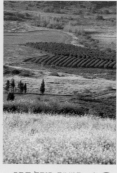
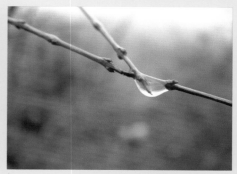

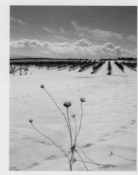
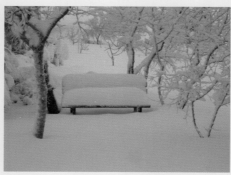
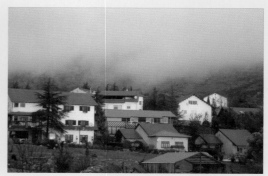

16 ערפילי בוקר בבוסתן הגולן
Morning mist in northen Golan

17 ערפילי בוקר
Morning mist

18 עצי אלה במדרון הר אביטל
Terebinths on Mt. Avital

19 בניאס
Banias River

20 ליד מושב קשת
Near Moshav Keshet

21 פקק תנועה ביער אודם
Traffic jam In Odem Forest

22 ערוץ בנחל יהודיה
Yehudiya ravine

23 נחל סער
Sa'ar River

24 שלכת בעצי נקטרינה
Nectarine trees in autumn

25 שלכת בעצי נקטרינה
Nectarine trees in autumn

27 עצי נקטרינה בחורף
Nectarine trees in winter

28 ענבי יין סירה
Syrah grapes

29 כרמים אל מול חרמון
Vineyards facing Mt. Hermon

30 סוללת מאגר דבש
Reservoir dike

31 בשמורת נחל דליות
In Daliyot Reserve

32 פריחת השקד
Almond blossom

33 כפור על טוף
Frost on tuff

34 מפל סער
Sa'ar Waterfall

35 אחו ליד מושב אליעד
Meadow by Moshav Aliad

36 פרי הדובדבן
Cherries

37 עץ משמש בשלכת
An apricot tree in autumn

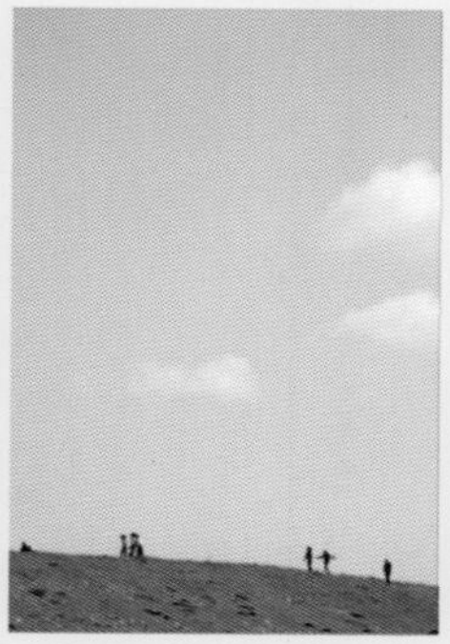

38 מטע בשלג
Orchard in snow

39 מבט מהר בנטל
View from Mt. Bental

40 מאגר עורבים
Orvim Water Reservoir

41 בניאס
Banias River

42 אדמה חקלאית בדרום הגולן
Agriculture in southern Golan

43 שום בפריחה
Garlic blossoms

44 חזירי בר
Wild boars

45 כלב רועים
Guarding the cattle

46 שלוליות בצפון הגולן
Puddles in northern Golan

47 מפל בנחל זויתן
Zavitan Waterfall

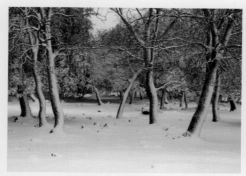

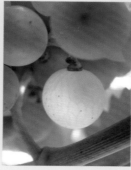

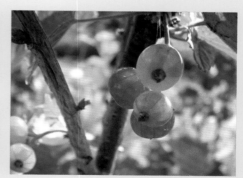

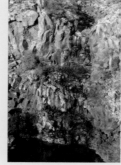

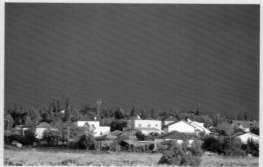

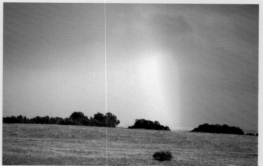

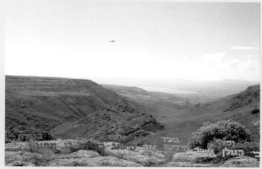

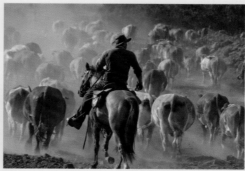

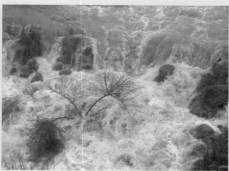

59 נשר בשמורת גמלא
Vulture in Gamla

60 כפור מקפיא
Frost

61 כפור מקפיא
Frost

62 שדות חיטה בדרום הגולן
Wheat fields in southern Golan

63 קציר חיטה בדרום הגולן
Wheat harvest in southern Golan

64 עדר סוסים באורטל
Horses in Ortal

65 בקר מרום גולן
Merom Golan cattle

66 חרמון לעת ערב
Mt. Hermon at nightfall

67 מפל גילבון
Gilbon Waterfall

68 מפל עיט
Ayit Waterfall

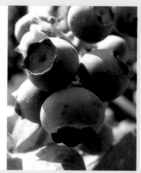
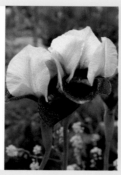
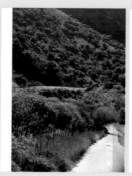
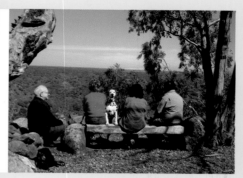

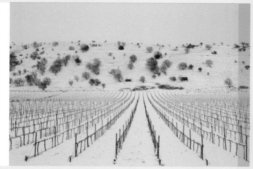
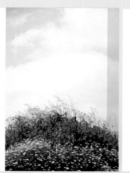

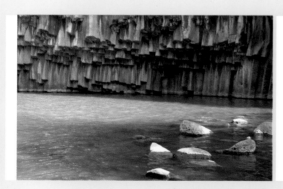
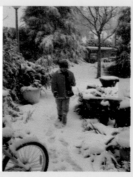
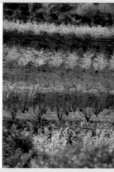
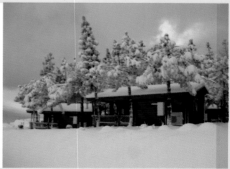

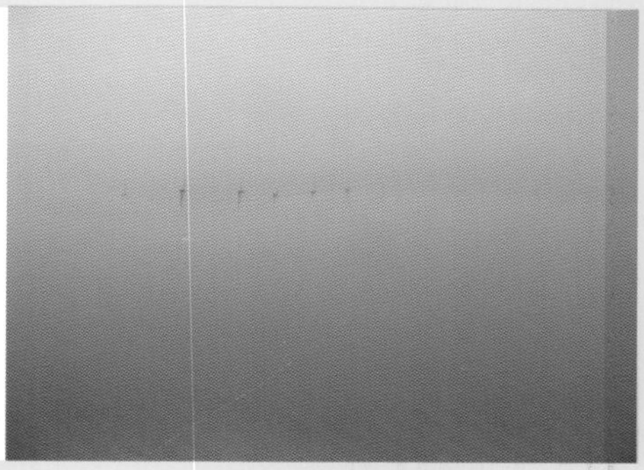

80 אחו ליד קדמת צבי
In the meadow

81 בנחל סמך
Samech Reserve

82 ענבי יין מרלו
Merlot grapes

83 סתיו בכרם עין זיוון
Ein Zivan vineyard in fall

84 תפוחי סטרקינג
Apples

85 המפל השחור
Black Waterfall

86 אלון ביער אודם
Oak in Odem Forest

87 צבי ליד קיבוץ אלרום
Gazelle near Kibbutz Elrom

88 ענבי יין מרלו
Merlot wine grapes

89 שלכת בכרם
Fall in vineyard

90 רכס החרמון מהר שיפון
Mt. Hermon from Mt. Shifon

91 בוסתן הגולן בערפילי בוקר
Morning mist in northern Golan

92 בנחל סמך
In Samech Stream

93 עץ אלון
Oak

94 כלנית
Anemone

95 בוקר על הר אביטל
Morning on Mt. Avital

96 ביער אודם
In Odem Forest

97 הר יוסיפון
Mt. Yosifon

98 חיטה בדרום הגולן
Wheat in southern Golan

99 דימדומי אביב
Farewell to Spring

100 עיזים במרעה ליד כפר מסעדה
Goats in pasture near Mas'ade

101 יער האיילים במושב אודם
Deer Forest in Moshav Odem

102 שקיעה מהר חרמונית
Sunset from Mt. Hermonit

103 דובדבן בשלכת
Cherry leaf

104 מושב אודם
Moshav Odem

105 מפל גילבון
Gilbon Waterfall

106 כרמים בשלכת
Vineyards

107 מטעים בשלכת
Orchards

108 בצהרי היום
High noon

109 פרות הבשן
Cows

110 מפל בזלת
Bazelet Waterfall

111 בזלת
Basalt

112 זריחה מהר שיפון
Sunrise from Mt. Shifon

113 הכינרת ממיצפה אופיר
Sea of Galilee

114 כרם אורטל
Ortal Vineyard

115 כרם עין זיוון
Ein Zivan vineyard

117 שלכת בעצי הנקטרינה
Nectarine trees in autumn

118 בשמורת יהודיה
Yehudiya Stream

119 שפני סלע
Hyrax

120 פריחת הדובדבן
Cherry blossom

121 עצי שקד
Almond trees

122 עמק הבוקרים
Cowboys Valley

123 במרעה מרום גולן
In Meron Golan grazing

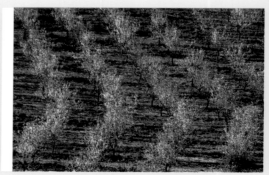

124 לוע הר אביטל
Mt. Avital

125 לוע הר אביטל
Mt. Avital crater

126 פריחת השקד במטעי כפר חרוב
Almond blossom near Kfar Haruv

127 צפצפה באובך
Haze

128 זריחה
Sunrise

129 זריחה
Sunrise

131 בוקר בחורשה ליד קיבוץ אורטל
Grove in morning

שער אחורי מטע שקדיות במצפה השלום
Back Cover Almond Orchard

רינה נגילה

ילידת טירת הכרמל, 1960
ממקימי קיבוץ אורטל בצפון הגולן
למדה תעשייה וניהול
צלמת אוטודידקטית
משנת 2003 צלמת עצמאית

הגולן של רינה
טבע קרוב ואינטימי
חי ודומם, נושם ונמוג
סביבה חקלאית משנה גוונים
מזג אוויר המעמיד הכל במבחן.
כשהשמים נפתחים והאור נוגע
השקט, היופי, המרחבים
מקבלים
פירוש מקומי חד פעמי.

שלומית נחושתן
קיבוץ אורטל

Rina Nagila

Born in Tirat HaCarmel, Israel
in 1960.
A founder of Kibbutz Ortal
in the northern Golan Heights.
Studied Industry and Management.
A self-taught photographer.
Free-lance photographer
since 2003.

Rina's Golan
Nature, close and intimate.
Landscapes and living things
breathing and volatile.
A rural environment
that changes colors.
A climate that challenges it all.
When the skies open up
and the light touches earth
The quiet, the beauty
and the wide open space
Take on
A local, momentary interpretation.

Shlomit Nechushtan
Kibbutz Ortal

D1358623